日本性科学会理事長
医学博士　大川玲子・監修
聖隷浜松病院　総合性治療科部長
医師　今井伸・監修

人生100年時代をなかよく生きる

シニア世代の愛と性《セックス》

シニア世代の愛と性《セックス》

目次

第2章

なぜ我々はセックスレスになったのか

第3章 セックスレス解消法 ～男性篇～

第4章

セックスレス解消法 ～女性篇～　127

第5章

セックスレス解消のヒント

第6章

植物由来の性ホルモン様物質の有用性

第1章

シニア・カップルはなぜすれ違うのか

「夫」とgoogle検索すると、まず「死んでほしい」がヒット？

少し前のことですが、日本の夫婦関係を象徴するちょっと怖い現象が話題になりました。それはインターネットで「夫」と検索すると、まず「死んでほしい」という言葉がヒットすること。

ご存じない方のためにご説明すると、これは夫殺しを引き受ける闇サイトの話ではなく、ごく普通の検索サイトの持つ「予測入力」という機能のしわざです。つまり「夫」という言葉の次に、その時最も検索されていた言葉が予測ワードとしてリストアップされる機能です。つまり日本では、「夫」という言葉に続いて「死んでほしい」と検索する人（おそらくは妻）がたくさんいたことを意味します。

では「妻」と検索するとどうなるのでしょう。答は「誕生日」「プレゼント」など。妻は「夫」「死んでほしい」と検索している一方で、夫は、「妻」の「誕生日」に何を「プレゼント」したらいいか考えている、というブラックジョークのような現象です。

検索ワードは日々刻々と変わっていくため、今現在同じことをしても「死んでほしい」とはならないかもしれません。その時に「夫」や「妻」に連なるビッグニュースがあれば、必ず入力予測としてそのニュースのワードがヒットします。例えば男性芸能人の不倫が話題になっていれば、「夫」の次のワードは「不倫」になるでしょう。

それでも、「夫」に続く予測入力の上位リストを下っていくと、今でも「死んで」や「嫌い」が登場します。もちろん「妻」の検索結果にも「嫌い」等がありますが、「夫」のリストに比べればごく少なく、いかに「妻」の「夫」への嫌悪が強いかがわかります。

なぜ夫は妻に嫌われるのか

なぜ妻は夫に「死んでほしい」のでしょうか。

まず安心してほしいのは、本当に夫を殺そうと思っている妻はいないということ。妻は間違っても自分が殺人犯になるというリスクを背負ってまで、夫を亡き者にしようとは思っていません。

自らが手を下すことなく、夫に「死んでほしい」。そうすれば住宅ローンの返済は無効（団体信用保険加入による）になり、財産は自分のもの。遺族年金が入り、あわよくば死亡保険金が入ります。最もうれしいのが面倒な夫の世話を金輪際しなくてすむことです。

基本的に女性は損得勘定で生きているので、結果的に自分が損をしてまで夫に死んでほしいわけではないのです。

ではなぜ妻は夫を「死んでほしい」と思うほど嫌うのでしょうか。

ノンフィクション『夫に死んでほしい妻たち』（小林美希著　朝日新書）では、家事や育児、加えて仕事に押しつぶされそうな妻の、夫への恨み、憎しみが生々しく語られます。男女平等のつもりで生きてきた女性達が、結婚で直面する理不尽。それを意に介さない夫。

日本の家庭において、家事、育児、介護の負担は基本的に妻が背負っています。専業主婦であれば当然であり、共働きであっても基本的には同じです。さらに夫の身の周りの世話から夫の両親の介護まで妻が請け負うこともあります。しかも夫は、それが当たり前だと思っている。

家庭における極端な不平等は、不満から嫌悪、憎悪、そして漠然とした殺意に変わっていくのです。

家事・育児・正社員をひとりでこなすスーパーウーマン

家庭における不平等。それが当たり前だった時代もありました。なぜ妻は黙ってその苦労に甘んじていたのでしょう。

それはかつて妻の苦労が自己犠牲として尊ばれ、認められ、評価されていたからかもしれません。身を削ってつくす姿勢が立派だ、えらいと誉められ評価される。特に妻や夫の親世代の親類縁者がよってたかって「○○さんは、えらいね～」と褒めたたえる。自己犠牲による親孝行ほど旧世代の心をくすぐるものはありません。橋田寿賀子ドラマの世界です。

そうした日本的価値観が、最近まで、たぶん１９９０年代までは、まだ多くの女性の中にもあったと思います。

そして女性は、こうした評価をある種の万能感に変えて社会進出してきました。家庭のことはすべて私が担い、同時にキャリアも収入も得てやろう。正社員でフルタイム。子どもは保育園に預けて。私ならできる、やってみせる。

こうして子育てしながら働く女性は、鍛えられ、有能になっていきます。仕事では何をやるにも速い。マルチタスクで複数の仕事をこなし、しかも作業が正確。「〇〇さん、すごいですね～」と同僚や後輩に称賛されると、「ふん、どうよ」と密かに悦に入ったりします。

しかしそんなスーパーウーマンでいられる日ばかりではありません。子どもはしょっちゅう熱を出すし、「とびひ」のような子ども特有の感染症もあります。熱はもちろん、うつる病気では保育園は預かってくれません。

会社に「すみません、子どもが熱を出して…」と電話を入れる時の惨めさは、子どもが小学校を終えるまで続きます。

また、大事な仕事を期日まで仕上げたくても、保育園のお迎えの時間は絶対です。そこで残った仕事はテイクアウト。家事、育児を終えて家族が寝静まった自宅で、ワーキングマザーは静かにノートパソコンを開いて残業を再開するのです。

こんな生活をしている人が、健康的な睡眠時間をキープできるはずがありません。

世界一睡眠時間が短い日本のワーキングマザー

日本人の睡眠時間は、世界で最も短いことで知られています。OECD（経済協力開発機構）の調査（2018年）によると、平均睡眠時間が8時間以下の国はごく少なく、日本は最下位で7時間20分です。

7時間と聞くと結構寝ているような気がしますが、世界標準ではその感覚がおかしいようです。世界の人々は、普通はもっと寝ているのです。

各国の睡眠時間の平均

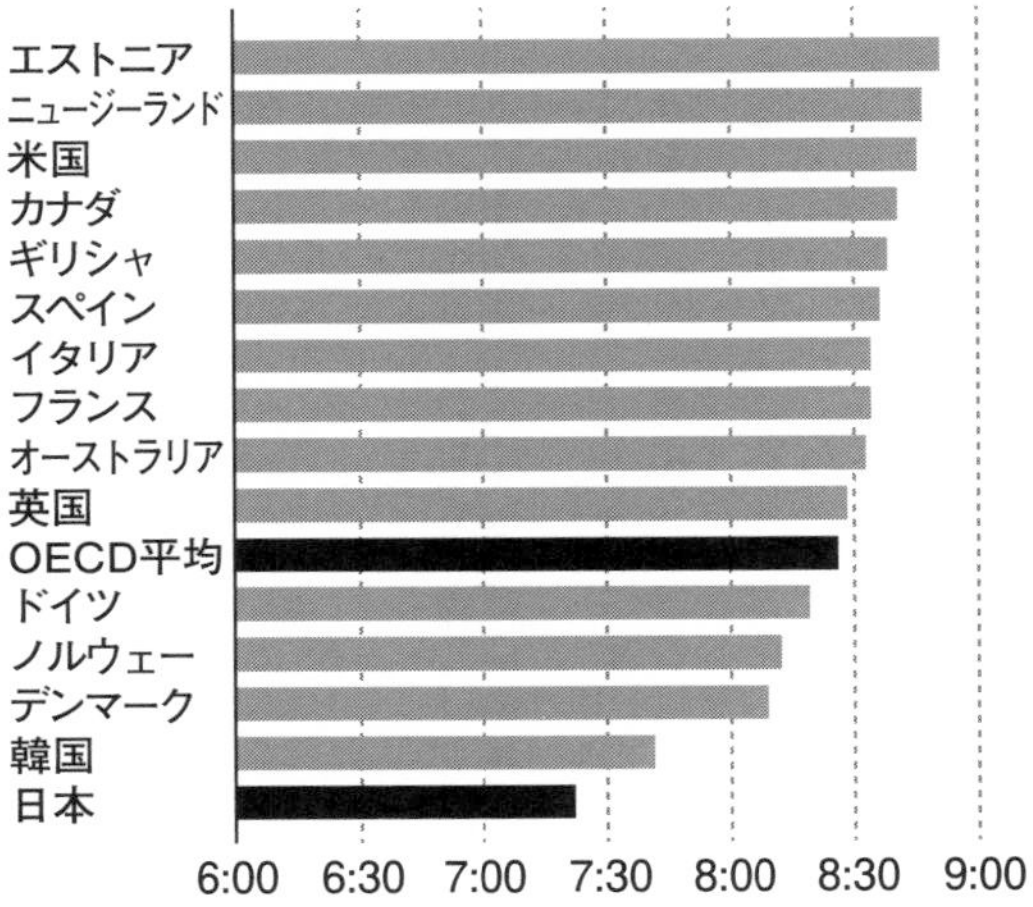

資料：OECD「Gender data portal 2018」
注：調査年は各国により異なる。対象年齢は多くの国で生産年齢

さらに年代を社会の中核である世代に絞るともっと短い。

ちょっと前のデータですが、厚生労働省の社会生活基本調査（２００６年）によると、当時の日本人の睡眠時間は平均7時間42分。その時すでに過去20年間にわたり減少を続けており、40代、50代の働き盛りの年代の睡眠時間は7時間そこそこでした。

こうした調査報告は毎年のように目にしています。それでも日本人は改善する気がないようで、２０１５年、平均睡眠時間が6時間未満の成人はほぼ4割に達していました。

そうした我が国で、最も睡眠不足なのは、やはり働く女性、特にワーキングマザーです。世界一の不眠大国と言われる日本において、さらに女性の方が眠れていない。調査結果を見ると、ほとんどの国で男性より女性の方が睡眠時間が長い傾向があります。女性の方が眠れていないのは日本だけと言ってよいようです。

厚生労働省 生活習慣病予防のための健康情報サイトでは、この睡眠不足の日本人女性に関して次のように分析しています。

「女性の社会進出が進んでもなお、女性が家事や育児など家族の中心として動いているという生活行動も挙げられます。限りある24時間、家族に行動を合わせていくと、切り詰めるところは自身の睡眠時間なのです」

海外からの評価で不公平を知る

女性の地位や社会進出に関する国際比較が、ＯＥＣＤ（経済協力開発機構）の調査結果として報道されます。それによると日本は、加盟国中最も男女平等が達成できていない国です。賃金の男女格差、管理職や政治家のパーセンテージ、教育の機会など、どれをとっても日本は女性の立場が低く、加盟国中、常にワースト5以内という状況です。

では女性の能力はどうなのでしょう。日本の女性は日本の男性より能力が低いのでしょうか。

社会に出る前の学力で見てみましょう。

ＯＥＣＤ諸国の男女（15歳）の成績を比較したＰＩＳＡ（Programme for International Student Assessment）という調査があります。学習到達度テストともいい「読解力」「数学的リテラシー」「科学的リテラシー」の3分野の試験で、義務教育修了時点で学んだ知識がどの程度身についているかを測ります。

テレビや新聞では、結果は国別で発表されており、日本は読解力で8位、数学的リテラシーで5位、科学的リテラシーで2位です（２０１８年）。1位は全項目がシンガポールでした。

この結果に対する日本人の反応は複雑で、日本人はもっと頭がいいはずだ、という不満が噴出しました。確かにそんな時代もあったような気がします。

ただＰＩＳＡの成績も、客観的に見れば決して悪くはありません。日本の子ども達は、３項目ともすべてベスト10内に入る優秀さだと言ってもいいのではないでしょうか。

この調査は、他にもいくつかの切り口で比較対象できるようになっており、男女の違いも調査されています。それによると国際的に見ても、全般的に女子の方が男子より得点が高い。参加国の70％で、女子の方が男子よりも成績がいいという結果になっています。日本もほぼ同じでした。

それでも日本の女子の４年制大学への進学率は、男子には遠く及ばない。医学部入学においては、大学サイドが女子の得点を下げて入学を妨げるというあからさまな差別があります。

自分の努力がバカらしくなる

こうした報道を見て不公平感を持たない女性はいません。そうして思うのです。私は何を得意がっていたのだろう。ひとりで何もかもできると調子に乗って。世界からみれば、正当な権利を行使せず、差別されてもそれが当たり前、黙って虫のように働き続ける、あらゆる意味で男にとって都合のいい女、日本女性はバカなんじゃないか。そんな冷笑が聞こえてきます。

当然妻の憤りはマグマのように噴出します。国や社会に対して。今まで自分をフェアに扱わなかった人々に。そして否応なく夫にも向けられます。

「なぜこの人は、当たり前のように何もしないのだろう。私がこんなに苦労しているのに、なぜ平気でいられるのだろう」

同じくOECDの報告で見ると、日本人が家事に費やす時間は、男性40分、女性224分。その差は184分。約3時間です。日本より下には3か国しかありません。

今や、女性の自己犠牲をほめる人などいません。女性の自己犠牲は、差別を助長するものと言ってもいいくらいです。

こうして女性は自分の努力がバカらしくなり、夫に対して憎悪の感情がわきあがってくるのです。

（ＯＥＣＤは加盟国36か国、先進国のほとんどが加盟し、最近新興国も増えている。）

夫が気づかない、冷えてゆく妻の心

困ったことに、妻は夫に自らの鬱積した不満を正面切っては口にしません。言わなくてもわかってほしい。ちょっと考えればわかるはずだと思うのです。内心、弱音をはきたくないという気持ちもあります。そして自分の苦労をわかろうとしない夫に、冷たい憎悪の炎を燃やすだけです。

「わからないはずないじゃない。夕べだってロクに寝てない。子どもの体操着にゼッケンつけて、粗大ごみのシール買いにコンビニに走って、それから会社の会議の資料を作って寝たのは3時よ。寝たのは3時って、さっき私、言ったよね」と、妻は洗面所でメークを直しながらつぶやきます。

けれども夫は思うのです。

「3時かあ。大変そうだけど、何も言わないから、別に大丈夫なんだろう」

大丈夫ではありません。何も言っていないわけでもありません。けれどもわからない。伝わらない。

ちゃんと話をしない妻も悪い。つらい時につらいと言わないと相手はわかってくれません。人間は誰しも、自分に都合のいいように物事をとらえます。がんばりやでパワフル、決して弱音をはかない。そんな無理をしていると夫には「そういう人なんだ」「すごいな、えらいな」「俺(何もしなくてよくて)、ラッキー」と思われてしまうのです。

悪気はない。そしてそこが腹が立つ。

共感力はあるが家庭ではOFF

男と女の脳は違う。男の脳は共感力に乏しい。だから妻の気持ちがわからない。それが男性脳の特徴だという脳科学者がいます。理由は左脳と右脳を連動する脳梁という真ん中の組織が、男性の脳では女性より小さいから、だそうです。解剖学を使って解説してくれていますが、本当にそうでしょうか。

共感力が乏しい人間が、はたして日本の企業や組織で出世していけるはずがありません。上司の顔色をうかがい、部下の不満をいなし、何をすれば業績が上がってロスが減り、八方丸く収まるのか。周りが何を考え、何をしてほしいのか、直接聞かなくても推測して実行できるのは共感力があればこそです。

数年前の流行語「忖度《そんたく》」。辞書によればこれは、相手の気持ちを察し、相手が望むように配慮すること、とあります。共感力そのものです。官僚が政治家の気持ちを忖度して私立学校設立を有利に進めた、というニュースで当時は大騒ぎでした。あれを見ていた妻たちは思ったはずです。

「忖度？　共感力高いじゃない。言わなくても、何をしてほしいか、よーくわかってるじゃない」

共感力がない男性が、あんなこと、できるわけがありません。

ただ男性の場合、仕事で当たり前のように使っている共感力が家庭では全く働かない。男性の脳は家庭では、すっかりＯＦＦになっているのです。

そうして妻は睡眠時間を削って働き続け、憎悪の炎を燃やし続けます。こういう妻が、ネットで「夫」「死んでほしい」と検索するのです。

夫源病

「亭主元気で留守がいい」

あまりにも有名なこのフレーズは、キンチョーの防虫剤「タンスにゴン」のＴＶコマーシャルから生まれました。架空の町の駅前町内会婦人部の集会で、女優の木野花さんが言う「今月の合言葉」がこれでした。

「タンスにゴン、タンスにゴン、亭主元気で」と木野花さんが言うと、出席者のおばちゃん達が「留守がいい」とのんびり答えます。これは昭和61年（1986年）の流行語です。

亭主は家にいると何かと面倒。だから外で元気に働いて（給料はしっかり入れて）、家にはいない方が楽、というわけです。

本音《ほんね》丸出し。少々ブラック。けれどもまだ笑って許せる空気がありました。何しろ本当に「亭主は元気で働いていて留守」という設定のコマーシャルだったからです。

そんな働き者の留守がち亭主が定年退職を迎え、リアルにずっと家にいるようになると、もう妻は笑っていられません。自分の身の周りのことも満足にやらない（できない）男が、一日中家にいて、なんだかんだと口うるさく干渉してくる。

昼飯はまだか。お茶が飲みたい。どこへ出かけるんだ。誰と一緒だ。いつ帰ってくる？晩飯はなんだ。

この夫の言動がストレスになって、妻は次第に体調不良を訴えるようになります。

これが夫源病《ふげんびょう》。別名・主人在宅ストレス症候群です。正式な病名ではなく通称ではありますが、意味がとてもわかりやすい言葉です。

症状は動悸、息切れ、めまい、不眠、イライラ、食欲不振……。夫が家にいる時はもちろん、外出先から夫が帰ってくると思うだけで症状が悪化する。どこか臓器が悪いわけではなく不定愁訴です。更年期障害のようですが、ひょっとすれば合併しているかもしれません。

30年で4倍、増える熟年離婚の背景

今日、熟年離婚が急増しています。芸能人だけでなく一般人も50歳、60歳を過ぎてどんどん離婚しています。

仮に結婚期間30年以上の離婚を熟年離婚とすると、1985年（昭和60年）の熟年離婚は約2900組、2015年（平成27年）の熟年離婚は約11500組。30年で4倍近くに増加しています（厚生労働省　平成29年（2017）人口動態統計（確定数）の

概況「表12同居期間別離婚件数の年次推移」より)。

結婚期間を20年以上にするとさらに増えます。2013年の熟年離婚は5万7000件、これは1973年からの40年で約10倍に増えているというデータもあります。

やはり女性側からの申し立てが多く、「夫と一緒にいたくない」とするものが多数を占めています。

何十年も生活を共にしてきた相手と別れたい。普通は健康不安や心細さの増す老後にひとりになりたいというのですから、夫源病のように一緒にいるだけで苦痛であるということなのでしょう。

インターネットで熟年離婚と検索すると、離婚訴訟を扱う弁護士のサイトがたくさん現れ、淡々と離婚のプロセスを紹介しながら、「訴訟は○○弁護士事務所へ」と誘う広告。これは「離婚できますよ」というのではなく「法律を味方につけると、離婚のときオトクですよ」と言っているのです。

離婚の持つネガティブイメージが消えた

離婚が増える原因は、まず女性が働いて自立し、経済力を持つようになったこと。そして法律的な手続きを踏めば、財産分与や年金分割（専業主婦が夫の厚生年金を分割して受給できること）などがスムーズになったことがあります。

つまり熟年離婚が増えた理由は、シニア女性がシングルになっても、困らずに生活できる時代になったからとも言えるでしょう。そこが若い時の離婚と違います。

また法律や経済力だけでなく、離婚の持つイメージが大きく変わったことも大きいと思います。これだけ熟年離婚が増えると、もはや離婚経験者が珍しくありません。「バツいち」という軽い言葉が示すように、離婚の持つネガティブイメージはほとんどなくなったと言っていいでしょう。

昔は今よりずっとひどい夫が多かった。妻に暴力をふるう男はたくさんいました。DVやパワハラなどという言葉はなく、妻は今よりもっとひどい目に合っても我慢していました。それは女性が経済的に自立できなかっただけでなく、離婚が恥であるという古い価値観があったからでしょう。

今日熟年離婚は、誰にも非難されません。同世代女性は「やったね」と称賛し、「私もしたい」と同調する時代です。

家庭では「見習いハウスキーパー」の自覚を

夫源病は妻である女性の体調不良ですが、その原因は夫であるシニア男性です。

現在60歳以上の男性は、戦後の高度成長期に子供時代を過ごし、日本経済がぐらついたり、バブルに湧いたりはじけたり、という経済的波乱の時代を生きてきました。ポリシーは男は「仕事命」。家庭は妻に任せ、「24時間闘えますか」などという、今ならブラックそのもののサラリーマンライフを送ってきました。

そんな仕事しかできない男性達が定年で家庭に入っても、一体何ができるというのでしょう。一応「定年後は妻とのんびり旅行や趣味で」と宣言していたものの、既に夫不在のライフスタイルを作り上げた妻にとっては、迷惑でしかありません。

よく言われることですが、シニア男性は会社以外に人的ネットワークを持っていないので、家庭や地域では孤立し、何をするにも妻に依存します。まとわりついて離れない、いわゆる〝ぬれ落ち葉〟化してしまうわけです。

このように述べると大抵の男性は、それは自分のことではないと思うようです。「いや、自分はゴミ出しだってしているし、子どもの勉強も見ていた」と。しかしこれは、残念ながらおめでたい誤解です。前に述べたように、日本の夫たちの家事分担時間は一日一時間足らず。先進国で最低。妻の五分の一以下です。

妻が夫源病による体調不良から回復するには、まずは夫がおめでたい誤解を解き、家事がいかに煩雑で手間のかかる仕事か理解すること。そしてまずは見習いハウスキーパーの自覚を持って、妻の指示を仰ぐことだと言えるでしょう。

何も言わなかった妻にも非はある

セックスレス解消をテーマとしながら、本章では主にシニア男性の問題点について述べました。

妻が働いているかいないかにかかわらず、子どもがいるかいないかにかかわらず、家事、育児、ひょっとすれば介護もすべて妻に押しつけてきたことを、まずシニア男性は反省しなければなりません。

ただ、なぜ夫が妻に家庭のすべてを押しつける（夫は「任せた」と言う）のかについては、妻にも非があると言えるでしょう。

もちろん夫と妻の役割分担に関しては、古い日本の家族制度や価値観が根底にあります。男は外で稼ぎ、女は家を守る。妻が働きに出ても同じです。脈々と続いてきたこの暗黙のルールは、暗黙だからこそ変わりにくい。男女雇用機会均等法、男女共同参画社会基本法など法律がいかに平等を謳おうと、紙に書かれていない暗黙のルールは変わりにくいのです。

それでも妻は言うべきだった。家事は分担しましょう。赤ん坊が泣いたら交代で世話をしましょう。保育園送迎も交代で。授業参観には父親参観日もあるのよ。

そうした家事や育児の分担をすべきだと、ちゃんと提案しなかった。あまりにひどいと思ったら、どこかでブチ切れるべきだった。言うべき時に言わなかった妻に非がないとは言えないでしょう。

男をつかまえるのなら聖子ちゃんカットで

さて、なぜ夫と妻はすれ違うのか。それを解く本当のカギは二人が結婚した若い頃にあります。

現在60歳の人を想定しましょう。現在60歳の人が、現在のパートナーと出会ったのが20歳だったとすれば、それは１９８０年です。

１９８０年当時のナンバーワンアイドルは松田聖子ちゃんでした。当時の彼女のスタイルを上から言うと、まず前髪で額を隠し、サイドはレイヤー、後ろは内巻きのいわゆる「聖子ちゃんカット」です。あごを引いて上目遣い、少し首をかしげて半開きの唇。幼女のような頼りない表情。これが基本でした。

当時の女子は猫も杓子も「聖子ちゃんカット」。流行語にもなった「ぶりっ子」とは彼女のことです。聖子ちゃんカットでぶりっ子が日本中にあふれていました。それが可愛かったからというより、それがモテたからです。

「ぶりっ子」とはカワイ子ちゃんぶるという意味です。「本当はそうでもないのに、そうふるまうことで男の気を引いている女」という批判がこめられているのですが、誰に迷惑がかかるわけでもないので本気で批判する人はいませんでした。

男を捕まえるのなら聖子ちゃんカットでぶりっ子。生存本能というか、市場原理というか、当時の女子がいい男をつかまえて結婚するなら、それが定番でした。

同時期のアイドルに柏原芳恵ちゃん、河合奈保子ちゃん、早見優ちゃんらがいますが、今、彼女らの写真を見るとコンセプトはみな同じです。

良妻賢母を匂わせて結婚した女も悪い

「聖子ちゃん」でいい男を捕まえたら、あとは良妻賢母アピールです。結婚したら、可愛くてよい妻になります。あなたの子どもを産んで立派に育てます。それを口では言わず態度で示します。お料理が上手。お掃除が好き。彼のアパートに遊びに行ったら、肉じゃがなんか作って、新聞なんかたたんであげる。外で小さい子どもを見たら「か〜わいい〜」と駆け寄る。

きっと男は「何て可愛い娘なんだ」「こういう娘と結婚したい」「きっといい奥さんになってくれるだろう」と思う。そうして本当に結婚してしまいます。

彼は彼女に理想の妻＝良妻賢母を見たのです。だから結婚した。仕事は続けくれていい（だって、そんなに稼げないし）。でも良妻賢母は変わらないと思った。だから家庭をすべて任せたのです。

問題はその後です。女達は計算高いようでいてツメが甘い。リアルな結婚生活がどういうものか、考えていなかった。

気がつけば、優しかった夫は仕事仕事で家庭を顧みず、家のことは全部自分が背負わされている。家事も育児も全部自分。どうやら彼の親の介護もやらされそうな勢い。どうしてこんなことになってしまったのだろう。

どうしてって、それは自分が蒔いた種です。良妻賢母を匂わせて結婚したのは自分に他ならないのだから。

結婚はゴールではありません。それは新しい人生のスタートです。そしてその人生は大抵上り坂で進むのがしんどい。それを考えなかった自分が悪いのです。

残業、残業。帰りたくても帰れない夫

シニア世代の男性が現役バリバリの働き手だった頃、とにかく「男は仕事」「仕事命」でした。残業は当たり前。上司より先には帰れない。上司に誘われたら断れない。上司も後輩を飲みにつれていくのが当たり前。売り上げが、ノルマが、業績が、数字が男性を縛っ

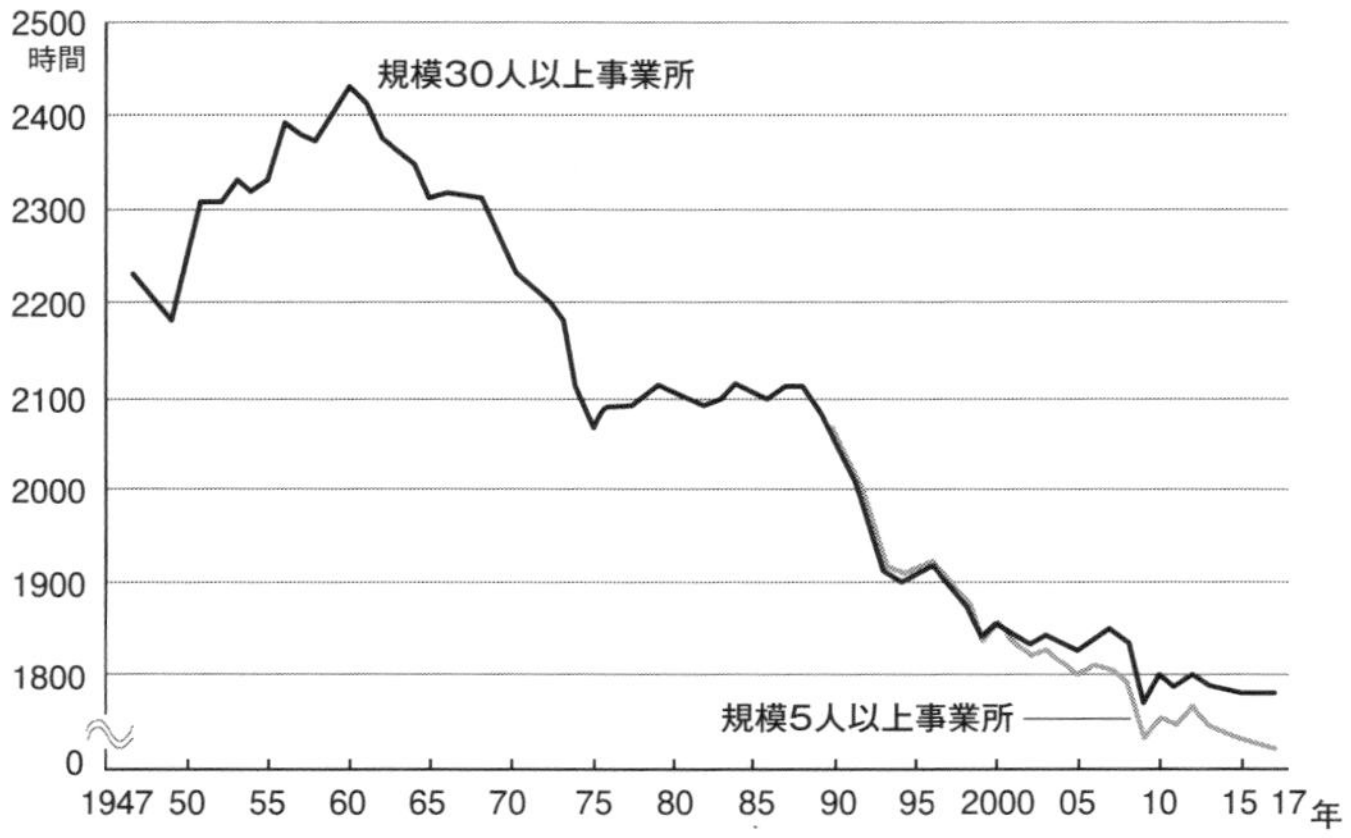

資料出所　厚生労働省「毎月勤労統計調査」より

ていました。

上のグラフは近年の、日本人の会社員1人あたりの労働時間の推移です。

日本人が一番働いていた時代は、実は高度成長期です。1960年頃、一人当たりの労働時間は年間2400時間を超えていました。1980年頃は2100時間でこれがバブル崩壊まで続きます。一か月あたり175時間です。

これが2015年になると1800時間を切っています。1980年から35年たって、労働時間は大きく短縮されたことになります。

1980年～1990年頃の年間2100

時間は、一か月で175時間、1日当たり8・75時間ですから、それほど長くはない印象です。しかしこの調査対象にはパートタイマーやアルバイトが含まれているため、正社員の労働時間はもっともっと長いと考えられています。

1980年〜1990年とそこからつながるバブル経済の頃は、「24時間闘えますか」の栄養ドリンク（1987年発売）のTVコマーシャルのように、長時間労働が当たり前。仕事だけでなく会社での飲み会や接待も多く、それをひっくるめてサラリーマンの生活でした。

彼女のもとへ帰ろうと思っていた

そんな時代だったので、家庭を理由に休んだり早退したり（残業を断ったり）は不可能です。「すみません。子どもが熱を出して…」などと言おうものなら、「え？ 奥さんいなかったっけ？ 男が子どもの熱で早退するの？」と、上司のあきれた顔。周囲も「大の男が何を言っているんだか」という空気。

一言で言えば仕事至上主義。個人的事情で仕事を休むなんて、ありえないことだったのです。

全エネルギーを会社や仕事に吸い取られていた男性たちには、家事、育児をすべて引き受けて悲鳴をあげている妻の気持ちを察する余裕がありませんでした。共感力がないのではなく、余裕がなかったのです。

でも男性たちは、家庭は妻が守ってくれるから大丈夫だと信じていました。だって彼女はそういう妻になると、彼女自身がアピールしていたからです。

だから定年退職したら、彼女のもとに帰るんだ、と男性は本気で思っているのではないでしょうか。

シニア女性には思い出してほしい。自分がかつてどんな女の子だったか。彼と出会った時、「ぶりっ子」で良妻賢母アピールしなかったか。そうやって結婚したという記憶はありませんか。

本当は死んでほしくない？

セックスレス、乏しい会話、世間では増える熟年離婚。それでも別れずにいるシニアのカップルは、どこかでパートナーを気にしていて、関係改善を望んでいるのではないでしょうか。

夫に「死んでほしい」という妻たちも、多くは100％夫を憎んでいるわけではないと思います。夫が本当に突然ポックリ死んでしまったら、その喪失感は想像を超えるでしょう。そうして、伝え残したことやり残したことばかりが思い起こされるのではないでしょうか。

世界一セックスをしない日本の夫婦のすれ違いは、二人が出会った頃、若い頃から始まっていたように思います。はじめはすれ違いというより誤解。お互いを実像とは違うものとして認識し、思い込んで結婚。リアルな結婚生活の中で、誤解がすれ違いに変わっていったのではないでしょうか。

妻は「こんなはずじゃなかった」と思い、夫は「どうすればいいんだ」と戸惑う。

そんな気持ちのままどちらかが先に死んでしまったら、大きな悔いが残ります。

シニアのカップルは、二人とも元気なうちに、一緒になってよかった、人生を共に生きてきて本当によかったと思える関係になってほしいと思います。

第2章

なぜ我々は
セックスレスになったのか

セックスをしない日本人

２０１７年８月26日の読売新聞によると、日本人夫婦の約半数がセックスレスを自認しているということが、ドイツの製薬メーカー、バイエル薬品（日本法人）の調査でわかりました。この調査では、１年以上セックスをしていない夫婦が全体の３分の１を占めており、「セックスに淡泊な日本人の性生活が改めて浮き彫りになった」と新聞は記しています。

バイエル薬品はＥＤ治療薬レビトラを製造しているメーカーなので、日本におけるセックス事情は市場調査の一環になります。

この調査も、日本人夫婦の寝室と性生活についての実態を明らかにするのが狙いで、２０１７年、６月９〜12日、全国の30〜69歳の既婚男女約８００人を対象にインターネットを利用して行われています。

結果、日本人夫婦の年間平均セックス回数は17回（２か月に約３回？）。１か月に１回以上セックスをしていない夫婦は33・９％。おおざっぱにいうと３組に１組はセックスレスということになります（セックスレスと自認しているわけではない）。

だからといって日本人が、それでよしとしているわけではないようです。この調査の対象となった夫婦の60％が、夫婦にとって「セックスは大切だ」と回答。セックスレスと自認する夫婦48・8％というデータとの微妙な不調和が浮かび上がります。

進行するシニアのセックスレス。特に50代男性

ではセックスレスとはどういう状態を指すのでしょうか。

1994年、日本性科学会は「特殊な事情が認められないにもかかわらずカップルの合意した性交、およびセクシャル・コンタクトが1か月以上ない状態」をセックスレスと定義しています。

同会はこれまで2回、日本人のセックスに関する調査を行っています。1回目

夫婦間のセックスレスの割合

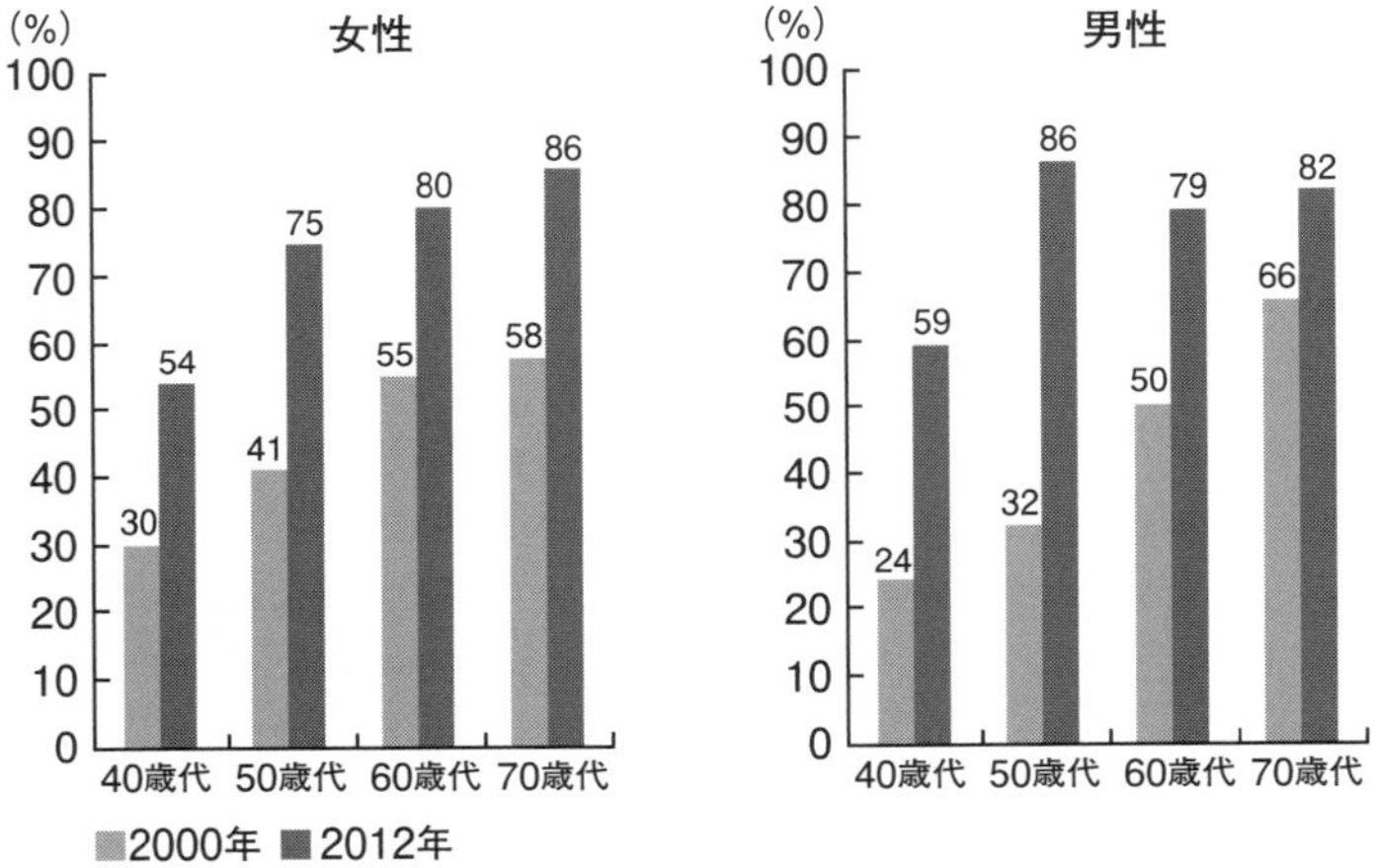

は1999年〜2000年、2回目は2012年。この2回を比較すると、シニア世代、特に40〜50代のセックスレスの増加が目立つとしています。どの年代も男女共にセックスレスは進行していますが、特に50代男性が顕著です。

2000年時、自分がセックスレスであると回答した50代男性の割合は32%。それが2012年には86%と2倍以上に増加しています。2000年から2012年、この12年で一体何があったのでしょう。

この結果について、日本性科学会セクシュアリティ研究会代表の荒《あら》木《き》乳《ち》根《ね》子《こ》氏は、「夫婦間の性の位置付けや関係性の希薄化、そして性交の有無に女性の意思が強く反映されるようになったことなどが考えられる」との見解を示しています。

ここでいう「女性の意思」とは、したくない時に拒否するという意味です。かつて女性にとってのセックスは受け身であり、夫がしたいといったら受け入れるのが普通。それを、いやな時には拒否する。そういう時代になったということです。

この調査の「セックスレスになった年齢」では、平均年齢が男性52・9歳、女性50・6歳。女性は閉経年齢とほぼ同じであり、更年期真っただ中です。ひょっとすれば「セックスなんかする気にならない」時期ですし、そんな女性・パートナーに拒否されて男性もセックスレスになる年齢とも考えられます。

世界でも頻度最下位のセックスレス大国

日本人はセックスしないっていうけど、海外はどうなんだろう、先進国は総じてセックスレスなんじゃないか、と思う人もいるでしょう。

これがそうでもないのです。

もう1つ、セックスの頻度について調べた報告をご紹介しましょう。

世界のコンドームの4分の1を製造している大手コンドームブランド、デュレックス（イギリス）は、「グローバル セクシャル ウェルビーング サーベイ（性の幸せに関する世界調査）」という調査を行っています。よく新聞などのメディアでも紹介されているので、名前は聞いたことがあるという人も多いのではないでしょうか。

２００５年の調査（発表は２００６年）で、対象国は41か国。1年間のセックスの回数とその満足度を調査しています。それによると、日本はセックスの回数が41か国中最下位の41位。満足度は40位（下から2番目）というさみしい結果が出ています。

45回と言うと1か月に3・75回ですので週1回弱ですが、これは20代など若い年代も含むので、シニアはそれよりはるかに少ないと思われます。

一方、他の国はどうかというと、まず頻度で言えば世界一なのがギリシアの１３８回。頻度は1か月に11・5回。大体週に2~3回セックスする計算になります。

参考までに頻度上位10か国を紹介します。

▼1年間のセックスの回数の平均値

1位　ギリシャ……………………138回
2位　クロアチア…………………134回
3位　セルビア・モンテネグロ……128回
4位　ブルガリア…………………127回
5位　チェコ………………………120回
5位　フランス……………………120回
7位　イギリス……………………118回
8位　オランダ……………………115回
9位　ポーランド…………………115回
10位　ニュージーランド…………114回

頻度の少ない国は下から日本、シンガポール、インド、インドネシア、香港。総じてヨーロッパ勢は頻度が多く、アジア勢は少なくなっています。

この調査はこれまで数回継時的に行われていますが、対象国にはばらつきがあります。今紹介した2005年の調査には入っていないブラジルやロシアは、他の年の調査ではブラジル2位、ロシア3位など頻度が高いグループに入っています。

バイエル社の調査でもそうですが、いずれにしても日本は、世界で最もセックスをしない国であると言えるでしょう。

頻度より満足度。一致して低いのは問題

セックスの頻度は多ければいい、少なければ悪いというものではありません。少なすぎるとコミュニケーション不足や離婚の可能性などの問題も出てきますが、だからといって多ければいいとは言えないでしょう。

前述のデュレックスの調査で興味深いのは、セックスの頻度と併せてセックスの満足度が調査されていることです。その結果はセックスの頻度とは異なるものでした。例えば世界一セックスの頻度の高いギリシャは、満足度では26位。ベスト10にも入っていません。頻度では3位のセルビア・モンテネグロが満足度では23位。頻度では5位のフランスが満足度では33位といった具合です。頻度で2位のクロアチアが満足度で5位なのは大健闘と言えるかもしれません。

ちなみに〝人種のるつぼ〟大国アメリカは頻度113回で11位、満足度は4位です。調査の対象は成人男女計2万人で、回答者の年齢、性別、既婚・未婚については不明です。調査の詳細については公開されていません。

規模としてはそれなりに大きいので、おおざっぱにセックスに関する国別の違いや傾向がわかるという点は評価されているようです。

そして日本は、セックスの頻度でも満足度でも驚くほど低いのは確かです。

なぜしないのか、しなくなったのか

シニアのセックスに話を戻します。日本人は総じてセックスレスであることは相対的には間違いないようです。さらにシニアは、しない。なぜ、そうなのでしょうか。

まず夫婦・カップルの場合、それまでしていたセックスをしなくなるのには理由があります。

一般社団法人日本家族計画協会による調査「第8回 男女の生活と意識に関する調査」によると、婚姻関係にある男女(16〜49歳)の「性交に積極的になれない理由」では、回答に男女差があります。最も多かった理由は次の通りです。

男性 「仕事で疲れている」35・2%

女性 「面倒くさい」の22・3%

他に「出産後なんとなく」(男性12・0%、女性20・1%)。またパーセンテージは低いものの「家族のように思えるから」「家が狭い」など。日本のカップルにとって子どもができて1つ屋根の下で暮らすということが、実はセックスレスのきっかけになっていることがうかがえます。

夫婦が小さな子どもを挟んで寝ることを「川の字で寝る」と言います。温かい家族像を象徴する絵のように言われますが、このシチュエーションでセックスはかなり難易度が高く、しかも女性は産後うつになる人が少なくありません。さらに母親単独による24時間ワンオペ育児が続くとなると、そこから夫婦関係のほころびが生まれ、セックスレスにつながっていくのだろうなと考えられます。

男女の性欲の差と一致の難しさ

『セックスレス時代の中高年性白書』（日本性科学会セクシュアリティ研究会著 harunosora 刊）では、シニア世代のカップルに自分自身とパートナーの性欲についてのインタビューを行い、結果を報告しています。

それによれば、40代以降のカップルでは、男性の方が性欲が強い、年齢が上がるとより男性の方が性欲が強いという結果になっているものの、男女ほぼ同じ、あるいは数は少ないものの女性の方が強いというケースもあり、一概にどちらが強いとは言えないようです。また年齢が上がると男女ともに性欲は減退していきます。

性欲は自然発生的なものとは限らず、その人の生活環境に大きく左右されます。パートナーとの関係性やそれまでのセックス感、満足度、男女の価値観などが絡み合い、なかなか一致を見ないようです。

例えば「性欲が強い」「何歳になってもしたい」というのは日本の旧来の男らしさという基準と一致します。一方、旧来の女らしさの基準（ひかえめ、しおらしい）では、あきらかにマイナスポイントです。それが「男性の方が性欲が強い」「女性は男性より性欲が弱い」という結果に傾いている可能性があります。

性欲は、食欲や睡眠欲とは異なる性質を持っています。それがなければ生きていけない、というものではないからです。「種の保存」という生物の目的にとっては必要ですが、個人が生きていく上では必須ではありません。

また性欲は、その時代の社会通念や倫理観、文化などの影響を強く受けており、100％自然発生的なものとは言い難い面があります。そうした社会に刷り込まれたセックスに対する価値観は、必ず現実の性欲に反映するのではないでしょうか。

男女の性欲の違いは、今日の日本のセックスレスに直結していると言えるでしょう。ただ後述しますが、女性にも男性同様にしっかりと性欲があることは、様々な社会現象からも明らかであり、不倫などの婚外セックスで発散している人も、決して少なくないようです。

「死ぬまでセックス」はどこへ行った

海外からの旅行者が日本で驚く現象に、女性のヌード写真や性的な文言を街中や交通機関内で目にすることがあります。下品とかみっともないとかの評価は別として、あれを見ると、どれほど日本の男性は精力絶倫で、やりたくてしかたがないのだろう、という印象になると思います。しかし現実は前述のように、世界で最もセックスしない国の人々であるわけです。

もちろん男性の性欲を満たすフーゾク産業は盛んであり、パートナーとはしなくても外でしているんだ、という男性もいるでしょう。

こうしたイメージを突然破壊したのが某週刊誌の記事「死ぬまでセックス」です。主に2つの週刊誌が競い合い、読者層である団塊の世代（現代では70歳前後）を中心に売り上げを伸ばしていました。

これらオヤジ系雑誌の記事の何が驚いたかといって、「死ぬまでセックス」の相手がパートナーである妻である点です。「え？　妻？　フーゾク嬢やパパ活の愛人相手じゃなくて？」と驚いた人は少なくないでしょう。

記事の中身は、ＥＤ治療薬の紹介やセックスのテクニック、腰に負担のかからない体位やらと、単に女性とどうやるか、という従来のものと大差ありませんでしたが、「妻を相手に」というコンセプトが仰天だったのです。

性交痛だけがセックス拒否の理由ではない

こうしたオヤジ向け週刊誌の「死ぬまでSEX（妻と）」というブームがいつのまにか終わり、最近は「年金の賢い貰い方」「飲んではいけない薬」「遺産相続の正解」といった、より高齢化した、時として終活と言っていいような内容に変わっていました。

調べてみるとこの宗旨替えは、表向きは「妻には結局セックスを拒否されたことからのあきらめ」だと表明されています。

それを宣言する号には、次のような記事が載っていました。

「私たちは勘違いをしていたのかもしれない」とし、「豊かな人生を送るためには高齢になっても性の悦びを忘れないことが大切なことであり、妻と定期的に夜の関係をもち続けることは夫婦円満をもたらしてくれると煽り続けてきた。しかし、それは間違いであった可能性がある」

というのです。

何が間違いなのかというと、そこに本書でも参考にしている日本性科学会による

「中高年セクシャリティ調査結果」（２０１４年）のデータが登場します。それは「50代以上の男性の約40％が妻とのセックスを求めている一方で、妻は50代で22％、60代で12％、70代で10％しか性交渉を求めていない」という調査報告です。

その後、バイアグラや潤滑ゼリーなどを用意し、色々工夫して妻とセックスしようとしたが、妻は迷惑そうでしかなかった。なぜならセックスにブランクがあるため、痛くてできない性交痛があるからだ、としています。

性交痛があるからセックスが苦痛。確かにそういう女性はいます。けれども性交痛がなくてもパートナー・夫とセックスしたくない女性もたくさんいます。

前述の日本性科学会による「中高年セクシャリティ調査結果」（２０１４年）が収められた『セックスレス時代の中高年性白書』（日本性科学会セクシュアリティ研究会著　harunosora刊）では、性交痛は40〜60代女性の50％前後が抱えているというデータが示されています。ただし性交痛の程度は「いつもある」と「よくある」を併せても30％前後。残りは「時々ある」です。もし女性がセックスしたいという意思があれば、工夫によって（潤滑ゼリーや医学的治療などによって）可能なレベルと思われます。

おそらくセックスを拒否する妻の中には、本当に性交痛がつらいというよりは、セックスを拒否する言い訳として性交痛を挙げている人がいるように思うのです。

残念ながらここにもかみ合わないセックス、男女の性の不一致があるようです。

妻に捨てられたらどうしよう

この「死ぬまでSEX」シリーズが人気を博した理由は、実は読者層である団塊の世代の崖っぷちの危機感にあるのではないでしょうか。

団塊の世代、すなわち現在70歳前後の男性は、若い頃は仕事一筋、家庭を顧みず、赤ん坊を抱っこしたこともないような人が少なくありません。

そんな家庭オンチの一方で、羽目を外すこともあったでしょう。不倫の1つや2つ、プロの女性との有料のセックスの3つや4つあったことでしょう。

しかし年を取って退職し、体力、経済力、男としての魅力全体も衰える頃になると、かつて相手をしてくれた若い女性達は見向きもしてくれません。ここへきて頼れるのはパートナー・妻だけです。

はたしてその妻は、心から温かく自分を迎え入れてくれるのか。船が港に帰るように妻のもとに帰りつけるのか。自信がある団塊の世代の男性がどれくらいいるのでしょう。

ふと報道をみれば熟年離婚の増加、夫源病、濡れ落ち葉といった厳しい言葉があふれています。シニア男性は震え上がります。妻に捨てられたらどうしよう。ある日突然テーブルに離婚届が置いてあったらどうしよう。

そうした崖っぷちの団塊世代の男性が電車の中吊りで発見するのが「死ぬまでセックス」です。そうだ！　セックスだ！　妻とのセックス！

しかし、そうやって妻にセックスを迫った結果が、前述の「死ぬまでセックス、終息宣言」です。妻には体よく断られた人が多かった。

かくして団塊の世代の男性は、次第に「死ぬまでセックス」に疑問を持ちはじめ、週刊誌を買わなくなります。そうして週刊誌がたどり着くのが、今のスタイル。「遺産相続」「飲んではいけない薬」「人間ドック賢い受け方」などの終活記事。

いかがでしょうか。この展開は考え過ぎでしょうか。

アシュレイ・マディソン上陸の衝撃。日本女性の不倫願望炸裂

アシュレイ・マディソンというカナダ発の出会い系サイトがあります。このサイトが日本に上陸した時には、ちょっとした騒ぎになりました。

このサイトのコンセプトがズバリ不倫。対象となる既婚者に登録させ、自由に不倫相手を探してください、というもの。キャッチフレーズは「人生は一度だけ。不倫しませんか(Life is short. Have an affair.)」です。

当時、既に世界で3千万人を超える登録者を集め、満を持して日本に上陸したのは2013年です。

日本上陸といっても実際に日本支社が存在するわけでも、日本人スタッフが常駐するわけでもありません。日本語のホームページができただけ。そこからひとりで自由にアクセスし、不倫相手を見つけて下さいというシステム。登録や相手探しは基本無料です。

日本上陸がなぜ騒ぎになったかというと、ホームページを公開するや否や登録者が殺到したこと、予定数に達するまでの速さが世界最速だったこと、と報じられました。もっと驚いたのは、登録者の男女比です。男性より女性の方が多かった。つまり女性の既婚者の登録数が男性より多かったのです。

このことは、既婚女性が自らの性欲を明らかにし、パートナー・夫以外の男性とセックスしたいと表明したに等しいわけです。

出会い系やマッチングアプリが一般化

不倫は、先進国はもちろん、ほとんどの国でご法度です。キリスト教では姦淫は大罪であり、イスラム教では死刑という国もあります。女性には特に厳しい地域が多くなっています。

ところが日本のようなほぼ無宗教の国では、社会的にはともかく法律的には犯罪ではありません（民法では不法行為。損害賠償などの対象になる）。基本的には夫婦間の問題です。それほど罪悪感もなく登録した人が多かったのでしょう。

実際には多くの国で不倫はよくあることですが、これをおおっぴらにしビジネスにすることを許さない人々もたくさんいます。アシュレイ・マディソンは、そのメンバーが厳格なキリスト教徒であるハッカー集団にハッキングされ、膨大な個人情報が漏洩。その一部はダークウェブに流れたとされ、世界の会員が恐怖のどん底につき落とされました。

その後、日本のサイトも「サクラが多い」「結局、課金される」「脱会が有料」など評判がガタ落ちになり、今やほとんど実体のないサイトと化しています。

ただこのニュースで、日本の既婚女性が婚外セックス、不倫に対して、それほど抵抗がなくなっているのがわかりました。男性に限らず女性も、特に家族や周囲の人を傷つけなければかまわない、という考え方の人が増え、不倫という言葉とは逆に「既婚者でも、パートナー以外の異性とセックスしても倫理には反しない」と考える女性が増えているようです。

またアシュレイ・マディソンなどなくても、今や出会い系やマッチングアプリは、誰でも簡単にセックスの相手を見つけられる便利なツールになっています。これで不倫・婚外セックスを楽しむ女性は、きちんとした調査はないものの増えていると思われます。

30代の既婚女性の2割が不倫!

一昔前まで、不倫、浮気といえば男性の専売特許で、夫の浮気を妻が許すとか許さないとかいう話になることが多かったと思います。ところが今日は、男性ほど多くはないにしても、女性・妻が浮気・不倫していても珍しくはなくなりました。

女同士の集まり、例えば同窓会や職場の女同士の集まりでは、こうした話がよく耳に入ります。女同士であればまず咎めるのではなく好奇の対象であり、「やるわね」、どうかすると「いいわね」といったノリになります。この場合、当事者の結婚生活が満たされていないと周囲が認めている場合が基本です。

不倫は当然セックスを伴います。

『セックスレス時代の中高年性白書』によると、不倫する妻は30~40代が最も多く、約2割がそうした経験がある。あるいはそうした相手がいるという調査結果になっています。40代で15%、50代で16%の女性・妻が不倫をしているという結果が出ました(2012年調査)。これはアシュレイ・マディスン以上の衝撃かもしれません。

配偶者以外の異性と親密な付き合いがある

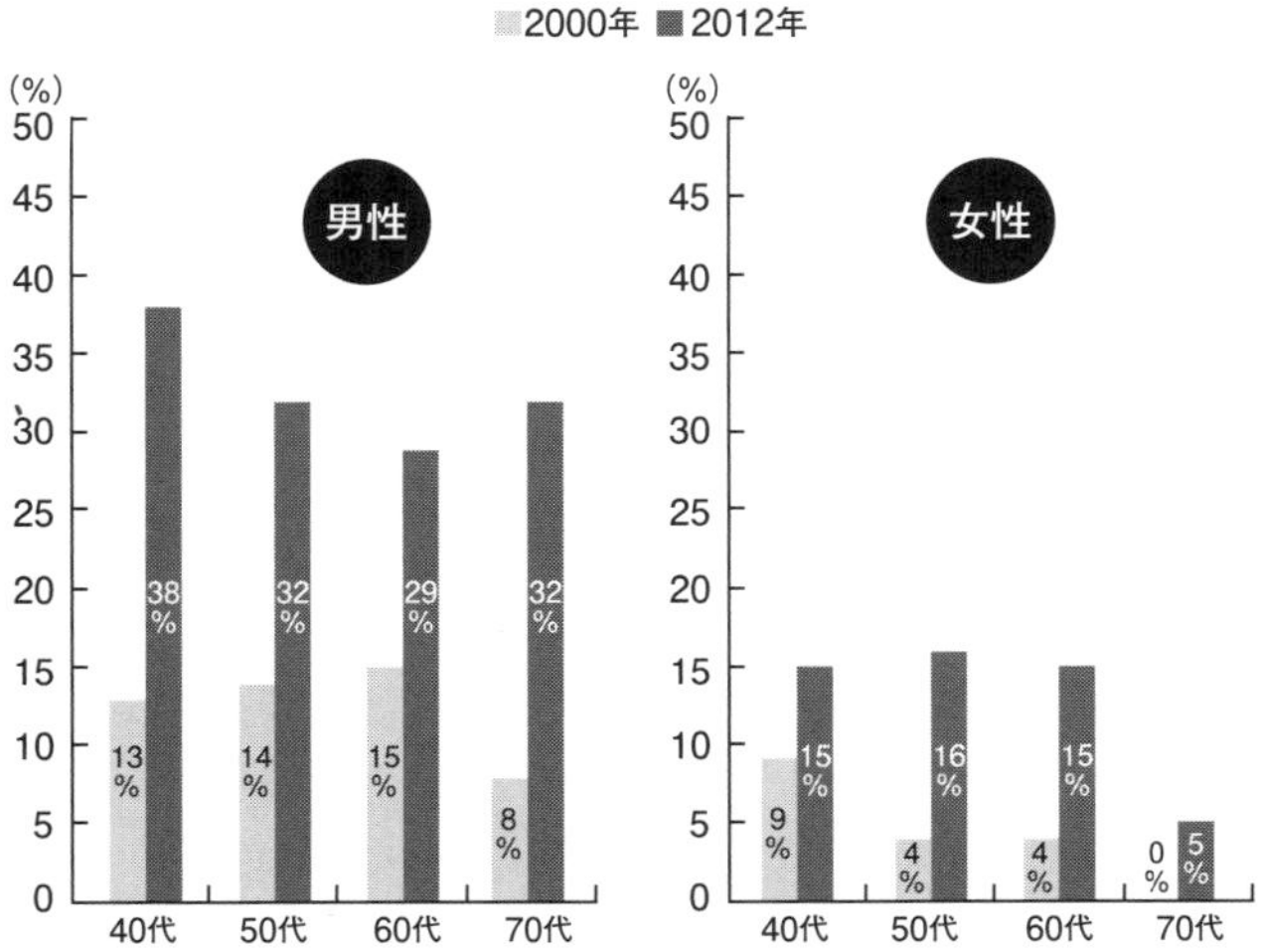

※日本性科学学会セクシュアリティ研究会調べ

同じ調査を２０００年にも行っており、それによれば40代で９％、50代で４％ですので、12年で妻たちの婚外セックスが急激に活発化していることがわかります。

女性の15％、男性の26％が不倫中？

国内のコンドームメーカーとして知られる相模ゴム工業が、２０１８年に１万４千人以上を対象に、セックスに関するインターネット調査を行っています。題して「ニッポンのセックス」です。

この調査でも、20～60代の女性の約15％に婚外・あるいは交際相手以外のセックスのパートナーがいることがわかりました。最も多いのが30代で18％です。

男性も同様であり、平均して女性よりは多く26・4％、つまり4人に1人以上が、婚外、あるいは交際相手以外のセックスのパートナーがいると回答しています。やはり30代が最も多く30・6％。3人に1人が該当しています。日本性科学会の調査とほぼ一致するデータです（出典：相模ゴム工業調査「ニッポンのセックス2018年版」より）。

その相手とはどこで知り合ったかという質問では、男女ともに20代では「同じ学校」、それ以外の年代では「同じ会社」となっています。

この調査では、既婚者と交際相手がいる独身者の違いまではわかりません。既婚者だけのデータではないわけです。既婚者だけに限定すると、当然パーセンテージは下がるでしょう。ただ年齢が上がるにつれて既婚者は増えるでしょうから、そうやって見てもやはり驚くべき数字だと言えるでしょう。

ちなみにこの調査では、婚外、あるいは交際相手以外とのセックスでも回数は決して多くありません。ほぼ月2回程度です。これが不思議です。

不倫、あるいは交際相手以外の異性との関係なのですから、ばれないようにこっそり会っていると考えられます。スリルもあって性的にも興奮し回を重ねそうですが、たったの月2回です。慎重かつ淡泊な不倫関係というのが意外です。

性欲はあるがパートナーに対しては？

日本人のセックスに関する様々な調査からは、単純に「日本人はセックスレスだ」とは言えない状況が浮かび上がります。確かに世界各国と比べると夫婦のセックスの頻度は少ない国です。その一方で不倫願望は強く、実際に不倫（婚外セックス）している人も決して少ないとは言えません。

この結果から、日本人は、それなりに性欲はあるけれど、夫婦間はセックスレスという状況なのではないでしょうか。しかもその傾向は年々強くなっています。

せっかく愛し合って結婚した二人が、もうお互いがセックスの対象ではない、性欲がわいてこないとしたら、これは大変にさびしいことです。男と女の愛情が失われつつあるのだと思います。

セックスしなくても夫婦仲がよく、一緒に趣味を楽しんだり旅行に行ったりと楽しく生活していればそれでいい。年を取ったら、秋から冬へ季節が変わるように性的なものが薄れてゆく方がいい。そんな雰囲気が日本にはあるのかもしれません。

しかし実際は「秋から冬へ」といった穏やかなフェイドアウトというよりは、気持ちがすれ違い、会話も減り、愛情もなくなって、ただの同居人になってしまうのだとしたら、あまりにさびしいのではないでしょうか。

第3章

セックスレス解消法
～男性篇～

男性にもある更年期障害

人は誰しも年を取ります。若い頃のように無理はきかなくなり、全身様々な箇所に不調が起こってきます。男性の性機能も例外ではありません。加齢によって性欲も低下し、朝立ちも減り、エネルギッシュなセックスは難しくなってきます。

他にも不眠やメタボリックシンドローム、うつなど、様々な心身症状が起こります。疲れが取れない、だるい、腰が痛いなど症状は様々です。

ただこうした不調の原因が単なる加齢ではない場合があります。主として男性ホルモンの減少。加えてストレス、生活習慣など。はっきりどこが悪い、どこに病気があるのかわからないのが更年期障害です。

男性ホルモンの低下が原因で様々な体調不良が起こることを、医学的には加齢性腺機能低下症(Late-onset hypogonadism)、略してＬＯＨ症候群と言います。「症候群」というくらいなので、前述のように様々な症状が混在しています。また年齢的な不調という意味で、一般的には男性更年期障害と呼ぶことが多いようです。女性の更年期障害はよく知られていますが、男性にも同様の不調があるわけです。

女性には閉経という大きな変化があり、女性ホルモンが急激に減少します。更年期は閉経の前後各5年くらいというのが目安です。

一方、男性ホルモンの減少は緩やかで、更年期がいつ始まっていつ終わるのかわからない、という不安定さもはらんでいます。個人差も大きく、ほとんど変化がない人もいれば、ひどい体調不良やうつ状態にさいなまれる人もいます。さらに周囲の無理解や本人が言い出しづらいという状況もあって、治療、改善につながりにくいという問題もあります。

どこを受診しても原因不明

男性の更年期も女性同様50～60代が多いものの、40代くらいから性欲の減退ややる気の低下といった症状を感じる人もいます。中には30代という若さでも、逆に70～80

代という年代になってからという人もいて、年齢的にはかなり幅があります。これも女性の更年期との違いであり、本人が更年期障害であると認識しにくい理由です。

医療の助けを借りようとしても、初めから泌尿器科やメンズクリニックなど専門的な科を受診する人は稀です。眠れないからといって内科で導眠剤をもらっていたり、イライラや倦怠感から心療内科で抗うつ剤を処方されていたりする人が少なくありません。こうした個別の症状に対する治療が、時には更年期障害全体の改善にとって必ずしもよいとは限らないのがまた困った問題です。

男性更年期障害の症状をもう少し細かく見てみましょう。

例えば夜眠れない、早朝目が覚めるといった不眠症状、疲れやすく疲れが取れない、だるい等の慢性的な疲労感、肩こりや腰痛、関節痛、筋肉が落ちてメタボな身体になる、頭が重い、めまいがする、ほてり、手足の冷えなど多岐にわたります。

専門の医療機関で明らかになる

泌尿器科などでは、こうした患者に自覚症状を書き込む問診票を書いてもらいます。これをＡＭＳ質問票（Aging Males' Symptoms Scale）といい全17項目。順番はバラバラですが、大きく「精神症状」「身体症状」「性機能の症状」という3つの項目があり、該当欄をチェックしていくとＬＯＨ症候群かどうかやその重症度がわかるようになっています（次ページ参照）。

項目ごとに見ると

○精神症状……不眠、無気力、イライラ、集中力や記憶力の低下、不安感、抑うつ……。

○身体症状……のぼせ・多汗、全身倦怠感、筋肉や関節の痛み、筋力低下、骨密度低下、頭痛、めまい、耳鳴り、頻尿。

○性機能の症状……朝立ちの消失、勃起不全（ＥＤ）、性欲減退。

	症　状	なし	軽い	中程度	重い	非常に重い
	点　数	1	2	3	4	5
1	総合的に調子が思わしくない(健康状態、本人自身の感じ方)					
2	関節や筋肉の痛み(腰痛、関節痛、手足の痛み、背中の痛み)					
3	ひどい発汗(思いがけず突然汗が出る、緊張や運動とは関係なくほてる)					
4	睡眠の悩み(寝つきが悪い、ぐっすり眠れない、寝起きが早く疲れがとれない、浅い睡眠、眠れない)					
5	よく眠くなる、しばしば疲れを感じる					
6	いらいらする(当たり散らす、ささいなことにすぐ腹を立てる、不機嫌になる)					
7	神経質になった(緊張しやすい、精神的に落ち着かない、じっとしていられない)					
8	不安定(パニック状態になる)					
9	体の疲労や行動力の減退(全般的な行動力の低下、活動の減少、余暇活動に興味がない、達成感がない、自分をせかせないと何もしない)					
10	筋力の低下					
11	憂鬱(ゆううつ)な気分(落ち込み、悲しみ、涙もろい、意欲がわかない、気分のむら、無用感)					
12	「絶頂期は過ぎた」と感じる					
13	力尽きた、どん底にいると感じる					
14	ひげの伸びが遅くなった					
15	性的能力の衰え					
16	早朝勃起(朝立ち)の回数の減少					
17	性欲の低下(セックスが楽しくない、性交の欲求がおきない)					

訴えの程度　17〜26点:なし
27〜36点:軽度
37〜49点:中程度
50点以上:重度

いかがでしょうか。筋力低下や耳鳴りなど、一般的に思い浮かぶ更年期のイメージとはかけはなれた症状が含まれています。

ひょっとしたらたくさんの人が、内科で頭痛やめまい、体の痛みを訴えても原因不明。整形外科で筋力低下や関節の痛みの原因を調べても原因不明。不調を抱えながらあっちの病院、こっちの病院とさまよっているかもしれません。

一番いいのはかかりつけのクリニックがあって、何年も体調全般を診てくれているドクターに相談することです。

「う～ん、これひょっとしたら更年期かも。性欲ある？　朝立ちする？　ない！　可能性大だね」となれば話は早いのですが、そういう医療機関がない場合は、泌尿器科か男性外来、メンズクリニックなどの科を受診するとよいでしょう。

うつ病だと思っていたら更年期障害だった

前述の症状の中でも、特に間違われやすいのがうつ病です。

更年期障害の1つの症状としてうつ症状があるのですが、それを主訴として内科や診療内科を受診するため、抗うつ剤を処方されている患者さんは少なくないようです。抗うつ剤では、更年期障害の様々な症状は改善しません。

困るのは抗うつ剤の中に、性機能の低下を招くような成分が含まれている薬もあること。そうした薬を服用すると更年期障害、特にセックスレスを解消したいと考えている人にとっては逆効果になることもあります。

反対にそうした人が泌尿器科で更年期障害の診断・治療を受け、うつ状態が治ってしまうこともあります。

現在、泌尿器科医としてEDやセックスレス、不妊などの治療に当たっている、本書の監修者の一人の今井伸医師（聖隷浜松病院リプロダクションセンター長）も、そうした患者さんを数多く診ています。うつ病で治療を受けていた人が性機能障害を発症していて、今井医師のところで男性ホルモン補充療法を受けたところ、性機能障害もうつ症状もよくなったというケースが少なくないということです。

今井医師によると、実は男性更年期障害とうつ症状が関係していると言われ始めたのは2000年代以降のこと。漫画家のはらたいらさんの体験記である程度知られるようになったものの、まだ一般的な知識とは言い難いのが現状だとのことです。

LOH症候群の医学的定義

繰り返すと男性更年期障害は、長く続く体調不良や抑うつ的な気分など、本人の訴えをもとにした呼び方です。こうした不定愁訴を抱える人に様々な検査を行い、医学的な定義に当てはまると、加齢性腺機能低下症候群（LOH症候群）と言います。

定義の基本となるのは男性ホルモンのテストステロンの減少で、特に体内で働いている遊離型テストステロンの値で診断されます。この数値が8・5未満の場合、LOH

症候群と診断されます（ただ最近、新しい検査キットが登場し、基準値12・5以下を適用とする医療機関もあります）。

また前述のＡＭＳ質問票も、自覚症状を把握し、治療を進めるための重要な判断材料になります。

ＬＯＨ症候群と診断されれば、後述する男性ホルモン補充療法（保険適用）の対象となります。

基本は男性ホルモン補充療法。漢方薬や運動、サプリメントも

男性更年期障害の治療法は1つではありません。

まず明らかに男性ホルモンが低下している場合は、男性ホルモン補充療法が一般的です。他にも漢方薬、あるいは本人の抱える症状別の治療法があります。ＥＤにはＥ

D治療薬があります。薬はあまり使いたくないという場合は、運動や食事など生活習慣の改善を基本にする方法もあります。

こうした方法の中で生活習慣の改善は、どんな治療を選んだとしてもできるだけ行った方がよいでしょう。特に禁煙や食事療法、運動習慣は男性更年期障害だけでなく、あらゆる生活習慣病の予防や改善につながります。

また最近は有用なサプリメントもあります。近年サプリメントは製薬会社も積極的に開発しており、高品質のものも増えています。薬はなるべく使いたくないという人は、その成分や科学的根拠をチェックした上でサプリメントを試す方法もあります。

男性ホルモン補充療法の適用

基本である男性ホルモン補充療法は、前ページで示した男性ホルモン(遊離テストステロン値)が8・5未満の場合、適用となると述べました。ややこしい話になって恐縮ですが、男性ホルモン（遊離テストステロン値）には日動変動があり、また年齢による違いがあり、一律に同じ数値で判断するのは無理があると言われています。

実際、うつやＥＤ、倦怠感などあきらかに男性更年期障害の症状があって、年齢的にも中高年に当てはまる人でも、男性ホルモン（遊離テストステロン）はさほど低くない人も少なくありません。

本当は他の血液検査のように若い時からその人の男性ホルモンを把握し、不調の場合にどのように変化したか、どのように減少しているかで判断できれば一番いいのですが、これがなかなか難しい。現状では、やはり男性ホルモン（遊離テストステロン値）が基準値に満たない場合のみ、男性ホルモン補充療法の適用になってしまいます。

実際の治療は男性ホルモン剤を、２～４週間に１度の注射で投与します。保険適用になっているので、費用的にも安心です。

他にも経口剤、軟膏がありますが、日本では注射剤以外は保険が効かないため、自由診療で実施している医療機関もあります。

男性ホルモン補充療法ができない人と副作用

ただしこの治療法ができない人もいます。まず前立腺がんの人。男性ホルモンには、前立腺がんを増殖させてしまう性質があるためです。これは乳がんと女性ホルモン補充療法の関係とよく似ています。

またこれから子供を作る予定の男性も、補充療法はできません。テストステロン補充療法の治療中は、精子の量が減少してしまうためです。未治療で重度の睡眠時無呼吸症候群の人も、この治療法によって悪化する可能性があるので適用にはなりませんが、睡眠時無呼吸症候群によって男性ホルモンの低下が起こるため、きちんと治療が行われている場合は男性ホルモン補充療法の適応となります。

比較的よくある副作用としては、造血能が高まるため多血症が起こることがあります。同様に、肝機能障害も見られることがあり、ホルモン補充療法中は定期的に血液検査が必要になります。

病状に応じて漢方薬を使う

男性ホルモン補充療法が適用にならない人や、副作用その他が不安な人は漢方という方法もあります。

たとえば「補中益気湯《ほちゅうえっきとう》」は、体力の低下、慢性的な疲労、全身倦怠感、食欲不振、微熱、寝汗などの症状を緩和する漢方薬です。最近、男性の更年期障害でよく処方されており、定評があります。

「八味地黄丸《はちみじおうがん》」は、中高年のＥＤ、前立腺肥大、頻尿、尿がでにくいなどの泌尿器系の症状によく処方されます。ほかにも足腰の痛みなどに有効です。

「加味逍遙散《かみしょうようさん》」は、体力のない、顔色の悪い人の貧血や微熱、動悸や胸の苦しさなどのある人に処方されます。不安の強い人や不眠にも効果があるとされています。

他にも症状やその人の体質に応じて様々な漢方薬があります。

漢方薬というと、ゆっくり効く、何か月もかかるというイメージがありますが、必ずしもそうとは限りません。今紹介した漢方薬は、飲み始めて2～3週間で効果が現れるのが普通です。また体に合わない場合は他の薬に変えることもできます。

更年期障害はいわゆる全身病であり、症状自体が多岐にわたり、一人ひとりが違った症状であることが珍しくありません。たとえばひとりの訴えが、頭痛めまい、不眠、気力低下、腰痛などである場合、通常の薬では何種類にもなってしまいます。そんな時に漢方薬が思いのほか有効です。

医学的にEDとはどんな状態をいうのか

次に男性更年期障害の中でも、セックスに直接かかわる性機能障害について考えてみましょう。

まず身体的、直接的な問題としてEDがあります。EDとはErectile Dysfunctionの略。直訳すると勃起不全です。

EDとは単に勃起しないことを言うのではありません。まず本人に性欲があり、パートナーがいて、セックスする意欲があるにもかかわらず、性行為がうまくいかない、満足いくセックスができないことを意味します。

例えば「勃起するが充分に硬くならない」「勃起するが持続しない」「挿入できても抜けてしまう」「性欲はあるが、興奮しても勃起しない」「勃起しない時がある」など。一口にEDといっても、症状は様々です。またご本人だけでなく、パートナーの満足度も重要な要素です。

医療機関を受診するのは抵抗があるという人も多いでしょうが、その心配はおそらく無用です。最近はED、あるいは男性更年期障害、LOH症候群などに対応する医療機関が増えています。また患者さんが不安なく受診できるような配慮がされているところも増えているので、事前に調べて受診することができます。

1年に一度の健康診断、人間ドックを受けるのと同様に、泌尿器科などで性機能検査を受けるというのもいい方法です。テストステロンなどホルモンの数値を計り、EDの心配があれば相談することができます。もちろん希望すればバイアグラなどの治療薬も処方してもらえます。

セックスの話は、親しい人にもなかなか相談しにくいかもしれません。しかし泌尿器科などの専門医であれば、それは風邪や腹痛の受診同様、当たり前のことです。血圧やコレステロールの話をするように「最近、セックスがうまくいかない」と話してみましょう。

勃起から射精までのメカニズム

ここで性教育ではありませんが、男性は自身の性機能について理解を深めてほしいと思います。勃起から射精までのメカニズムを説明します。

まず男性が性的興奮を覚えるのは脳です。セクシーな刺激がある場合もない場合もあります。

勃起には、神経系と血管系の2つの系統が関わっています。

はじめに神経系ありきで、脳が性的に興奮すると、それが神経を伝わってペニスに伝わります。するとペニスの海綿体というスポンジのような組織につながる動脈血管が広がり、大量の血液が流れ込みます。これでペニスが硬くなります。

同時に、膨張した海綿体で静脈が圧迫され、血液がペニスから排出されないようにし、これで勃起が維持されます。

一方精巣で作られた精子が前立腺まで運ばれ、精嚢にある分泌液と混ざり合うことで精液となります。作られた精液は膀胱に逆流しないよう内尿道括約筋が収縮します。それと同時に外括約筋も収縮して前立腺内の尿道内圧が高まります。

セックスの場合、ペニスを刺激し続けることで括約筋などの筋肉が収縮し、一気に射精へとつながるという仕組みです。

勃起から射精の流れのどこか、例えば脳の性的興奮がうまく神経を伝わっていかない、またはペニスに興奮が伝わっても血管がうまく広がらない、広がっているのに血液がうまく流れ込まないなどのトラブルがあると勃起は起きません。神経系と血管系のどちらか、あるいは両方がうまく反応しなければ、勃起は起こりませんし、その後の射精も起こりにくくなります。

ただ過剰に心配しなくてもいいのは、どんな人でも、時にはそういうことがあるということ。疲れていたり、心配事があったり、飲みすぎても勃起は起こりにくくなります。はっきりした原因があって、たまに勃起しないのであれば特に問題ではありません。

EDの原因と生活習慣病

シニア男性にとって、ＥＤ（勃起不全）はセックスの最大の妨げです。パートナーはいるのに、肝心のペニスが思い通りにならない。これではセックスそのものはもちろん、二人の関係にすきま風がふく、と思ってしまいます。

女性は案外、勃起や射精にこだわっていないこともあるので、それがなくても充実したセックスはできます。それでも男性が男性としての自信を持ってセックスしたいのであれば、やはりＥＤを治すことです。

さて一口にEDといっても、原因は1つではありません。加齢、更年期障害、LOH症候群などによる男性ホルモンの減少、ストレスや緊張などによる心理的要因、あるいは糖尿病などによる神経や血管の障害などたくさんあります。いずれかの原因で、前述の勃起から射精までのメカニズムのどこかに支障が起きているわけです。

もし原因が男性ホルモンの減少であれば、前述のホルモン補充療法が有効です。しかし何らかの生活習慣病が潜んでいる場合があるので、まずはそちらをチェックする必要があります。

動脈硬化でペニスの動脈が詰まる?

EDの原因としてまず注意してほしいのが動脈硬化です。動脈硬化とは、血管がしなやかさを失って硬くなり、血液がスムーズに流れなくなった状態です。

主要な臓器、たとえば心臓や脳の動脈はもっと太いので簡単には詰まりませんが、ペニスの動脈は細いため、早い時期に動脈硬化を起こし詰まりやすくなってきます。ペニスの動脈が詰まるとどうなるのでしょう。血液が流れなくなり勃起しなくなる、つまりＥＤです。

勃起は神経系と血管系の２つのルートで成り立っていると述べましたが、そのうちの１つ、血管系に支障が起きてＥＤになるのは主に動脈硬化が原因です。

ペニスの動脈硬化でＥＤが起こるということは、心臓や脳にも同様に動脈硬化が起こっている可能性があります。それが命に関わる心筋梗塞や脳梗塞になることもあります。実際に心筋梗塞や脳梗塞を起こした人の多くが、発症のかなり以前からＥＤであったというケースが少なくありません。そう考えると、ＥＤは心筋梗塞や脳梗塞の前触れであるとも言えるので、おろそかにするべきではないとも言えます。

高血圧はＥＤのリスクが最も高い

動脈硬化があるとＥＤになりやすいと述べましたが、動脈硬化が起こる原因代表が高血圧です。したがって、高血圧はＥＤの大きな要因になります（高血圧とは収縮時１３５以上、拡張時85以上）。

ペニスの血管は細く傷つきやすいので、高血圧によってダメージを受けやすく、勃起のための血液が充分に流れ込まなくなる可能性があります。専門家は、高血圧は最もＥＤになりやすい疾患だとしています。

高血圧は動脈硬化同様、心筋梗塞や脳梗塞など重篤な血管障害を引き起こす原因になります。

さらに高血圧は、治療においてもＥＤを引き起こすことがあります。血圧を下げる降圧剤には、副作用として血管の拡張を抑えたり、交感神経の働きを抑えるものがあり、それがＥＤにつながってしまうのです。

ただし高血圧であってもＥＤの治療は可能です。血圧を下げる治療をしながらＥＤ

を改善できるので心配は無用です。「血圧が高いからＥＤは仕方がない」ということはないのでぜひ医師に相談してみてください。

糖尿病でもＥＤになりやすい

糖尿病性ＥＤという言葉があるように、糖尿病になるとＥＤになりやすいということは、比較的認知されているようです。

糖尿病の場合、慢性的に高血糖の状態が続くと、血管内皮細胞がダメージを受け、高血圧と同様に動脈硬化を引き起こします。さらに、動脈硬化による微小血管の血行障害が神経障害も引き起こします。つまり糖尿病においては、血管系、神経系のいずれもがダメージを受けるのでＥＤになりやすいわけです。

また最近の研究では、糖尿病で神経障害が起こる段階になっていると、精巣で作られるテストステロンのレベルもかなり低下していることがわかってきました。さらに糖尿病は治癒が難しい病気であることから、落胆してうつを発症する比率が、健常者の2倍近いというデータもあります。つまりＥＤ発症に関して心因性の原因も加わってくるわけです。

前立腺肥大、前立腺がんが引き金になるＥＤ

前立腺もＥＤとは密接に関わりがあります。

この臓器は男性だけの器官で、膀胱の下にあり、尿道を囲んでいます。大きさはクルミくらい。前立腺液という精液の一部を作っており、射精の時に精子を運び、酸性の膣の中で精子を守る働きをしています。

しかし加齢に伴って次第に肥大して尿道を圧迫し、時としてがんを発生したりして健康を脅かします。前立腺肥大によってオシッコのキレが悪いなどの排尿障害を起こす男性はとても多いものです。

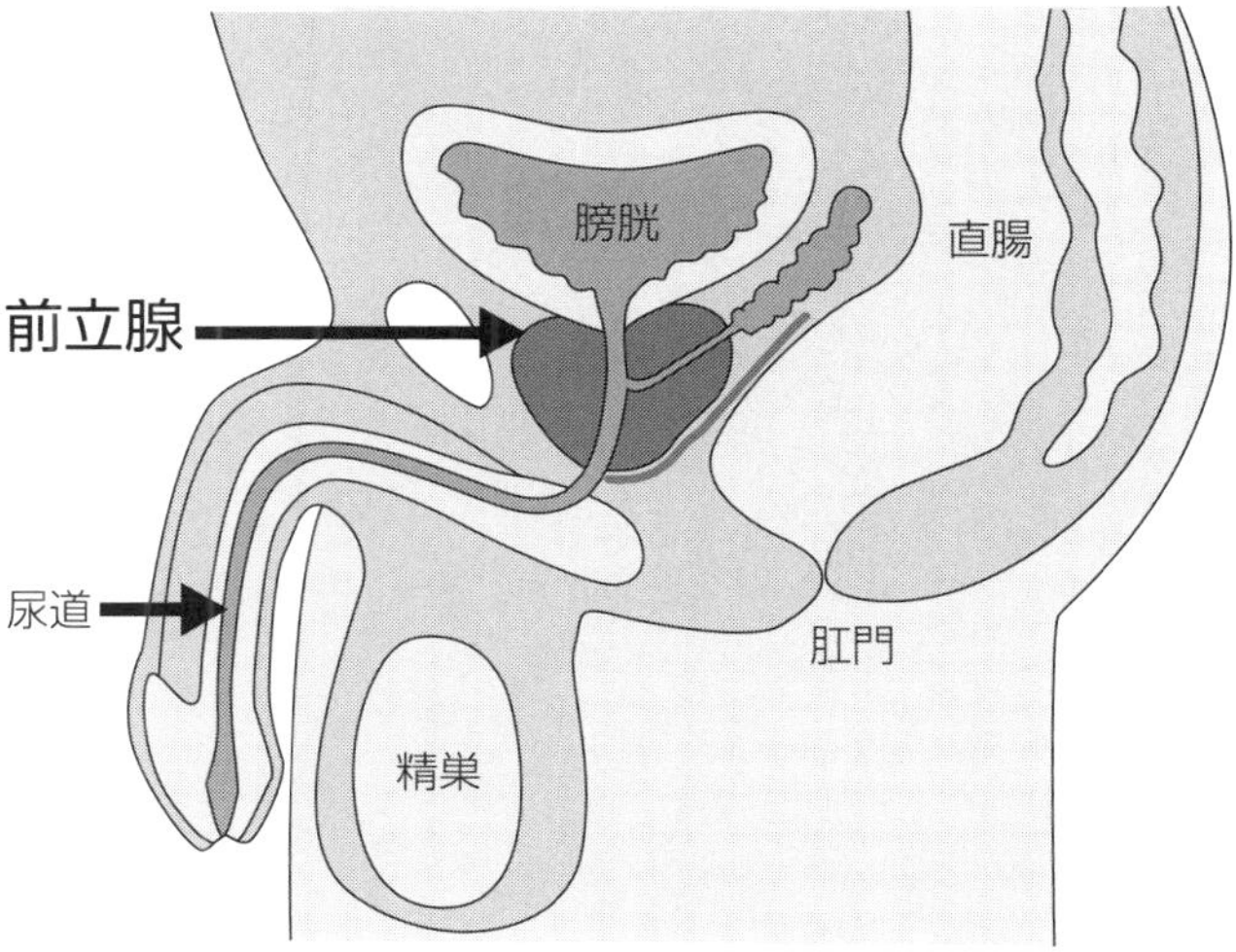

前立腺肥大は、以前はＥＤの原因ではないと言われていましたが、最近の研究ではやはり関係があると考えられるようになりました。前立腺肥大の治療をすると、ＥＤが改善することがわかってきたためです。

また前立腺がんでは、手術の際に勃起に関わる神経を損傷すると、後遺症としてＥＤになってしまうことがあります。

前立腺がん手術後でもED治療で復活

今井医師は、前立腺がんの手術を行う際、患者さんにはご夫婦そろって手術の説明を聞いてもらっているそうです。

「手術で勃起に関わる神経を取ってしまうか温存するか、ご夫婦で決めてもらっています。ただ摘出する範囲によっては、神経を取らざるをえない場合もあります。ところがそうした人でも、ＥＤ治療を続けていると勃起が復活してセックスできるようになるケースがあります。80歳を過ぎた人でもそうした場合があるので、あきらめないことが大切ですね」

ＥＤ治療薬、例えば有名なバイアグラは血流を促進するのでＥＤが解消し、勃起が復活、セックスが可能になります。これは前立腺がんに限らず、直腸がんや膀胱がんの手術にも同じことが当てはまるそうです。

郵便はがき

料金受取人払郵便

日本橋局
承認
2776

差出有効期間
2022年
7月31日まで

1 0 3 - 8 7 9 0

907

中央区日本橋兜町18-5
日本橋兜町ビル2F

株式会社 平原社

愛読者カード係

ご購読ありがとうございました。本書の内容についてご質問などございましたら、小社編集部までご連絡ください。

平原社　読者サービス係
電話:03(6825)8487

ふりがな お名前	年齢　　歳 性別（ 男・女 ）

〒 □□□ − □□□□　☎　（　　）

ご住所

シニア世代の愛と性

愛読者カード

小社出版物の資料として役立たせていただきますので、ぜひご意見をお聞かせください。

●ご購入先

1.書店(　　　　　　　　市 町 村 区　書店)　　2.小社より直送
3.その他(　　　　　　　　　　　　　　　　　　)

●ほぼ毎号読んでいる雑誌をお教えください。いくつでも。

●ほぼ毎日読んでいる新聞をお教えください。いくつでも。

1.朝日　2.読売　3.毎日　4.日経　5.産経
6.その他(新聞名　　　　　　　　　　　　　　)

●本書に対するご質問・ご感想

●今後、当社から各種情報をご案内してもよろしいですか。

1.可　　2.不可

*ご協力ありがとうございました。なお、ご記入いただきました個人情報につきましては、当社の出版物等のマーケティングにのみ使用し、第三者への譲渡・販売などは一切行いません。

ＥＤ治療薬はどのように効果を発揮するのか

勃起のメカニズムのところで、神経系と血管系の２つの系統が関わっていると述べました。脳が性的な刺激などで興奮すると、それが神経を伝わってペニスに伝わります。この時神経からは、一酸化窒素（ＮＯ）が分泌され、細胞内のサイクリックＧＭＰの生成を促します。サイクリックＧＭＰとは、細胞内情報伝達物質であり、これが血管を広げるのです。

するとペニスの海綿体につながる動脈が広がり、大量の血液が流れ込みます。これでペニスが硬くなります。同時に、膨張した海綿体で静脈が圧迫され、血液が海綿体から排出されるのを制限します。これで勃起が維持されるわけです。

しかし体内には、勃起を解消するシステムも用意されています。勃起をうながすサイクリックＧＭＰは、ＰＤＥ５と呼ばれる体内の酵素によって分解され、血管が収縮して、ペニスは平常の状態に戻るわけです。

平常の状態に戻るのは射精後でいいのですが、この酵素ＰＤＥ５の働きが強すぎると、勃起そのものが起こらない、あるいは起こっても持続しないというＥＤ症状になってしまいます。

ＥＤ治療薬は、このＰＤＥ５の働きを阻害することでサイクリックＧＭＰの効力を保たせ、勃起を起こし持続させます。そのためＥＤ治療薬を総称して「ＰＤＥ５阻害薬」と言います。

現在流通している「バイアグラ」「レビトラ」「シアリス」等の薬は、全て「ＰＤＥ５阻害薬」です。持続時間や飲み方などの違いはありますが、基本的には同じです。

バイアグラ、もとは狭心症の治療薬

バイアグラの有効成分は「クエン酸シルデナフィル」です。バイアグラのジェネリック薬の多くに、このシルディナフィルという名称が使われています。

錠剤で25㎎と50㎎があります。どちらかを処方されるので、セックス前の空腹時に服用しましょう。食事をしたりアルコールを摂取すると効果が落ちる場合があります。特にお酒の飲み過ぎはよくないようです。

服用後30分ほどで効き始めます。服用する人の体調、体質にもよりますが、効果は5〜6時間ほど続きます。

副作用としては、顔のほてりや光に過敏になり色が変化して見えたりする「視覚異常」があります。他にも血管を広げる働きがあることから、副作用として頭痛、鼻づまり、動悸などが現れる場合があります。ほとんどは問題ないのですが、心配な場合は受診した医療機関に相談しましょう。

危険な薬という説がありますが、それには次のような経緯があります。

製造元の製薬会社は、以前クエン酸シルデナフィルで狭心症の治療薬の開発を行っていました。大きな成果はありませんでしたが、治験者達から得た情報で、勃起を補助する作用があることが判明。こうしてクエン酸シルデナフィルは、勃起不全を改善する史上初のＥＤ治療薬として誕生しました。１９９８年1月、アメリカでのことです。

ただあまりにこの薬が話題になったことから、大きなトラブルが発生しました。日本での発売を待たず、個人輸入でこの薬を飲んだ人の中に重篤な副作用を起こした人々がいたのです。というのは、心臓病のニトロ製剤を飲んでいた人がバイアグラ（狭心症の薬）を飲んだためです。どちらも血管拡張作用があるので、同時に摂取するのは大変危険です。

医師の診察や注意を受けずにこの薬を使用することがいかに危険であるかが、この時知られるようになりました。

その後バイアグラは抜群の知名度と普及率を誇り、悩める男性達に恩恵をもたらしています。

史上2番目のＥＤ治療薬レビトラ。即効性が特徴

ナイスミドルの草刈正雄さんが、ブランコに乗って「話しに行くんだ〜ＥＤのこと」と歌っているテレビコマーシャルを、覚えている方もおられるでしょう。ＥＤの薬のＴＶコマーシャルなんてと、かなり驚いたものです。有効成分は塩酸バルデナフィル水和物。バイアグラとは異なる成分ですが、働きは基本的には同じです。

レビトラにはバイアグラ同様に血管拡張作用があるため、心臓病などでニトロ製剤を使用している人は服用してはいけません。血圧が下がりすぎて大変危険です。ほかにもＨＩＶ治療薬の抗ウイルス薬や、内服の抗真菌薬（水虫の薬）、抗不整脈薬などを服用している人も、レビトラは服用できません。

最大の特徴は、効果の即効性で、吸収の早い人は15分〜20分で効果が現れることです。

ユニークなのは、レビトラが糖尿病患者のＥＤ治療に効果があるというデータがあ

ること。3年以上糖尿病を患い、EDを有する患者778名を対象とした試験では、レビトラの服用によってEDが改善したという人が、何も使わなかったという人より明らかに多いという結果になりました。

最大36時間、通称ウィークエンドピル。ゆっくり長く効くシアリス

2003年に登場し、日本では2007年に発売されたシアリスは、バイアグラ、レビトラ以上に長時間、効果が続くことで有名な薬です。最大36時間。金曜の夜に飲めば日曜の昼まで効果が持続するため、ウィークエンドピルと呼ばれています。

ゆっくり長く効くことで、本人が焦りやプレッシャーを感じることなく、「そのうちできればいい」というスタンスで過ごせることから人気が高くなっています。有効成分はタダラフィルです。

タダラフィルを有効成分に持つ薬剤は他に2つあります。1つはアドシルカという薬剤名で肺動脈性肺高血圧症（難病指定）の治療薬です。もう1つはザルティア錠。前立腺肥大の治療薬です。タダラフィルは、ED、肺動脈性肺高血圧症、前立腺肥大という3つの病気に効果のあるユニークな物質だということです。

心臓病や血管障害のある人、半年以内に脳出血、脳梗塞などを患った人も使えません。治療による管理のされていない不整脈の方も、シアリスは飲まないでください。

ＥＤ治療薬は媚薬や興奮剤ではない

バイアグラ、レビトラ、シアリス等のＥＤ治療薬は、勃起を助け、性行為を可能にする薬です。ただし薬を飲めばペニスが勝手に勃起するわけではなく、まず本人に性的欲求があることが前提です。それから性的刺激で脳が興奮しなければなりません。その信号が神経を伝わってペニスに届いてからが薬の出番です。

多くの方が誤解しているようですが、薬はあくまで勃起を補助し助ける薬であり、興奮剤や媚薬ではありません。

残念ながら保険適用外の薬で、いわゆる健康保険が効きません。そのため高いんじゃないか、と思う人が多いようですが、たとえばバイアグラなら1錠1500円くらい。あとはそれぞれの医療機関の診察料が加算されます。ジェネリックはもっと安くなっています。セックスの時だけ使う薬なので、1回1500円とすれば（診察料が加わるとしても）、驚くほどの金額ではなさそうです。

ネット流通品の4割が偽造。必ず医師の診察を受けて処方薬を

ＥＤ治療薬をインターネットで検索すると、たくさんの広告が現れます。「バイアグラが1錠390円！」といった文言が躍り、いかにも本物らしいパッケージに入った

ものがたくさんあります。安いからと購入する人が後を絶ちませんが、こうした商品は大変危険ですので、くれぐれも止めてください。

日本国内でＥＤ治療薬を製造販売する製薬会社４社が合同で行った調査では、インターネットで流通するＥＤ治療薬の約４割が偽造品であることがわかりました。品質にはばらつきがあり、医薬品成分の含有量が承認されている用量より多い・少ないだけではなく、全く含有していないもの、他の成分、複数の不純物が含まれるものがありました。実際こうしたまがいものを摂取して、救急搬送された例もあります。正規のＥＤ治療薬がもともと狭心症の薬からスタートしたことを考えれば、偽造品が持つ危険性がわかると思います。

必ず医療機関を受診し、自分が安全に飲めるかどうか医師と相談して、処方薬を使用してください。心臓が止まってからでは手遅れです。

朝立ちは健康のバロメーター？

勃起の始まりは脳の性的興奮と述べました。しかし脳が全く興奮しなくても勃起する場合もあります。それが「朝立ち」といわれる現象です。

なぜ朝、勃起が起こるのでしょうか。眠っている時に性的な夢でも見ているのでしょうか。

実は朝立ちは睡眠のサイクルによる現象で、本当は夜間も、本人が眠っている間に何回も勃起しています。

睡眠にはレム睡眠とノンレム睡眠があり、この2つが周期的に繰り返されています。レム睡眠は簡単にいうと浅い眠りで、体が眠っているのに脳が覚醒に近い状態にあります。この時、性的な興奮に関わりなく神経に刺激が伝わり、ペニスの血管が広がって勃起します。この現象が朝起きるのが「朝立ち」で、性的な夢を見ているわけではありません。一方、ノンレム睡眠時は、勃起はしないようです。

朝立ちは健康のバロメーターと言いますが、これは本当です。朝立ちするということとは、脳からペニスにつながる神経系に問題がないことを意味します。脳から適切な指令が伝わっているわけです。また血管にも異常がないので、勃起するわけです。

高血圧や高脂血症などで血管の動脈硬化が進んでいると、興奮しても血管が広がらず、勃起がうまくいきません。

したがって朝立ちが起きるということは、脳からペニスまでの神経系と血管系に異常がないことの証明と言えます。そこで「朝立ちは健康のバロメーター」というわけです。

ちなみに昔は、勃起しないことをインポテンツと言いました。ＥＤとインポテンツは違うのかと思われる方もおられるでしょう。インポテンツは日本語で不能。勃起する能力が低下し性交ができない状態を意味し、ＥＤと同じ意味で使われていました。インポテンツは一種の差別用語であるので学術用語としてふさわしくないということになり、今日ではほぼ使われなくなりました。

使わないと衰える廃用性萎縮

セックスは大切なコミュニケーションです。相手の気持ちをおしはかり、体調を気遣い、心と体の両方で存在を確かめ合う行為です。本来それは若くても年を取っていても変わらないはずです。

ただ日本人は、年を取ると次第にセックスから遠ざかる傾向があります。「いい年をして」とか「そっちはもう卒業」などと言い訳をして、夜は別床、さらには別室で寝る夫婦が増えています。

実は、こうしてセックスから疎遠になることは、男性にとっても女性にとっても性機能の低下を招くことにつながるのをご存じでしょうか。

男性の場合、長い期間セックス（あるいはマスターベーション）をしないでいると、いざという時に勃起も射精もしにくくなっていきます。これを廃用性萎縮と言います。ペニスに限らず人間の体は、「使わない機能は必要がない」として、使わないところから次第に衰えていってしまうのです。スポーツ選手が引退すると筋肉が落ちる、普通の人でも、長期入院して歩かないと筋肉が落ちるのはそのためです。骨も脳も血管も神経も同様で、体のあらゆる器官が「使わない」と「萎縮」してダメになっていきます。

逆に言えば、人間のあらゆる器官は、ふだんから活発に使うことで衰えを防ぎ、機能を維持させることができます。もちろん加齢による衰えもありますが、適切に使い続けることで、機能を長く保つことができるのです。

日頃、性的に興奮し、勃起することはペニスへの血流をよくし、海綿体の萎縮を防ぎます。射精すると前立腺の血流もよくなります。睾丸の働きも維持されます。前立腺がんを防ぐ働きもあることがわかってきました。

これほどメリットの多いセックスを、年だからといって止めてしまうのは、あまりにももったいないのではないでしょうか。

何歳になってもした方がいい

性機能を保つためだけでなく、パートナーとのコミュニケーションのためにも、あるいは健康全般にとってもセックスは有用です。シニアにとっては特に健康寿命を伸ばし、ＱＯＬを維持するためにとても役に立ちます。

そしてマスターベーションもセックス同様、実は何歳になっても意味のあることです。パートナーがいる人もいない人も、セックス同様にした方がいいのです。

ところが、何度も繰り返しますが、日本人は年を取るとセックスをしなくなります。どうやら世界で一番〝しない〟ようです。

男性はパートナーである女性に対し、異性に対する愛情をなくしてしまったのでしょうか。そうではないようです。何となくすれ違いを繰り返し、いつの間にかしなくなった、というのが真相のようです。

せっかく愛し合って結ばれたパートナーです。セックスをあきらめることは、スキンシップをなくすことにつながります。あきらめる前に、パートナーである女性のことをきちんと理解しているかどうか、自身で確かめてみましょう。

性ホルモンの減少。男女の違い

本章冒頭で、男性にも更年期障害があること。それによってセックスがうまくいかなくなる場合があると述べました。女性も同様で、シニア女性の心身、更年期以降の女性の心身、そして性機能は変わっていきます。

ただし男性と女性では、更年期の進み方、現れ方に違いがあります。男性の更年期においては、男性ホルモンが減少します。女性の場合、女性ホルモンが減少。ここは同じように見えます。しかしその減少の仕方がかなり違うのです。

次ページの図を見て下さい。性ホルモンの減少が男女でどのように違うか、おわかりいただけるでしょう。女性は50歳前後で閉経し、その前後で女性ホルモンが急激に減少します。男性ホルモンは、女性に比べるとゆっくり減少していきますが、更年期

加齢と性ホルモン分泌の変化

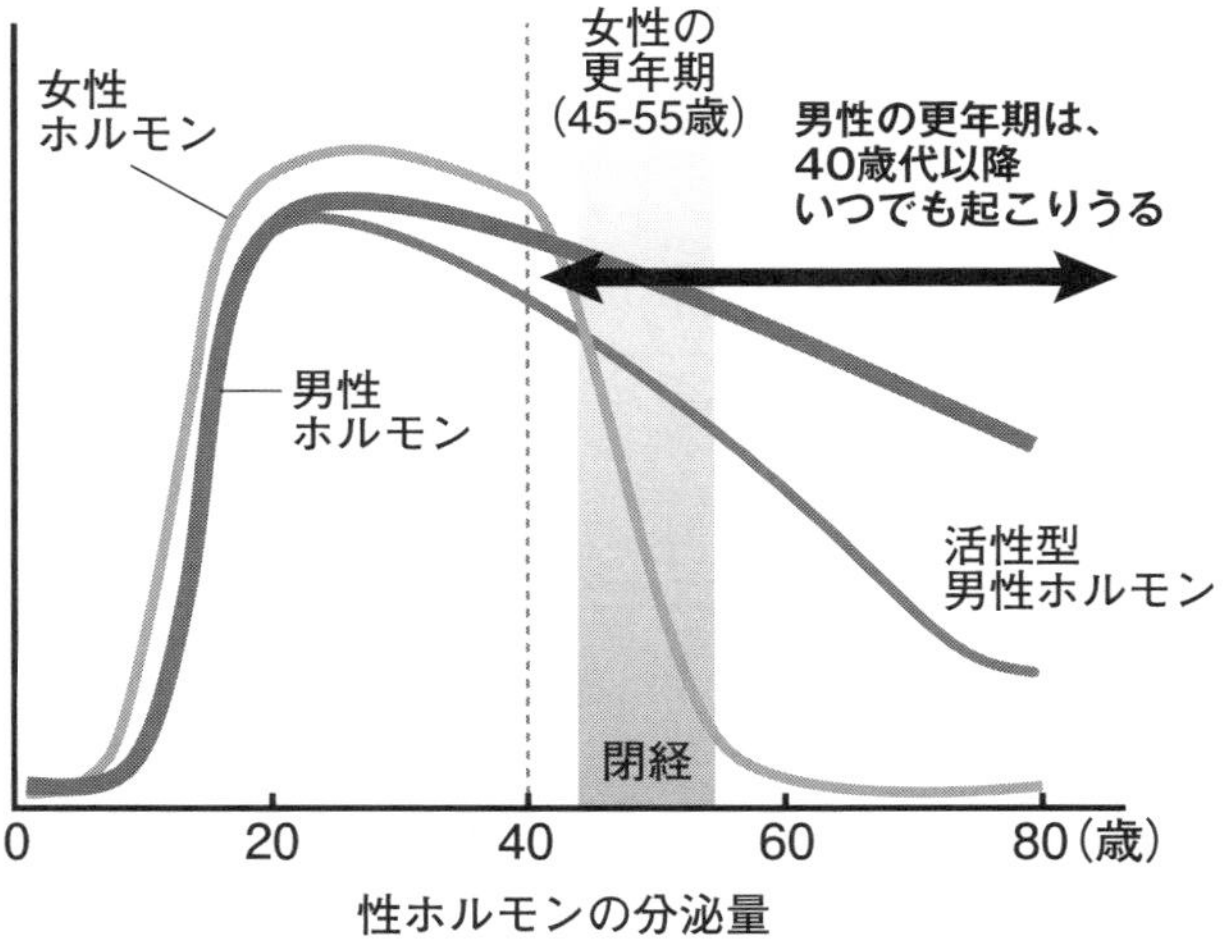

男性ホルモンは徐々に減少するが、
実際に体内で活躍する
(活性型)男性ホルモンは急に下がっていく

障害の症状はどのレベルで起きるかはわかりません。個人差もきわめて大きいものです。

男性と女性の更年期を比べると、男性の方が長期間にわたるのに対し、女性はある程度限られた期間に起きるという違いがあります。症状の重さに個人差があるのは変わりありませんが、期間限定な分だけ女性の方が足並みが揃っていて、わかりやすいと言えます。

女性の更年期障害の症状

さて男性は、女性の更年期についてどの程度知っているでしょうか。大抵の男性は、そういうものがあるということは漠然と知っているくらいで、実際にパートナーの身に起こってみないとわからない人が多いのではないでしょうか。

まず女性の更年期とは、加齢に伴って女性ホルモンが減少する時期のことです。女性ホルモンは卵巣から分泌されており、女らしい体を維持するだけでなく、皮膚や骨、筋肉、脳、自律神経などの働きを助けています。思春期から分泌量が多くなり、ピークは30代。閉経前後には急激に減少します。

日本女性の場合、閉経の平均年齢は50歳くらいです。女性ホルモンはその5年くらい前から減少し始め、閉経後5年でほとんどなくなってしまうとされています。

これによって女性ホルモンの影響下にあった皮膚や骨、脳、自律神経などの働きがゆらいできます。様々な不調はこうして起きるわけです。

代表的な症状はホットフラッシュと言われるのぼせやほてり、多汗など。冬でも急に暑くてたまらなくなり、大汗をかいたりすることはよく知られています。他にも手足の冷え、めまい、頭痛、動悸、肩こり、倦怠感、疲労感、うつ、不眠、イライラなど多種多様です。

こうした症状の中でもホットフラッシュは更年期特有であり、他の病気との判別材料にもなります。

ただ男性の更年期症状と女性のそれは、性機能を除けばほとんど変わりません。女性の方が、閉経の前後5年間くらいと限られた時期に集中して起きるので、症状も重い人が多いようです。

いたわりの気持ちを表現できているか

もしあなた（男性）のパートナー（女性）が更年期でぐったりしていたら、まずは「そういう年齢（更年期障害）なんだな」「体がつらくて大変なんだな」と理解すること。

そうして、無理をさせない、助けの手を差し伸べる、いたわりの言葉をかけてあげていただきたいと思います。

昔は「更年期なんて誰でもあること。病気じゃない」という風潮がありました。今でもそうした古くさい男性がいるようですが、それは今日では通用しません。雑な対応をしていると彼女はどんどん頑なになるでしょう。

ある調査では、更年期に「何がつらかったか」という質問に対し、「周囲（特に夫）の無理解」という答がたくさんありました。

体がつらい時には、どうしても元気な時のように仕事や家事ができなくなります。そのことで困っている、悩んでいるのは他ならぬ本人です。万一「怠けている」「さぼっている」などと言えば、仮にそれが冗談で言った言葉だとしても、本人はひどく傷つきます。そして症状がさらに悪化してしまいます。

女性の更年期に無理解な男性は、自分勝手で無神経な男として一生残る恨みを買います。第1章で紹介したように「夫　死んでほしい」と検索されるのは、間違いなくそういう男性です。

この時期、夫婦関係が悪化して喧嘩が増えたり、離婚を考えたりする女性が少なくありません。もちろんセックスは致命的に難しくなります。

一生を共にするパートナーに対して、思いやりの気持ちで接するのは当然のこと。どうしたらつらい時期を上手に乗り切れるか、医療を含めて助けになってこそ真のパートナーです。

我慢するのはナンセンス。治療して体調を立て直す

パートナーである女性が更年期障害で苦しんでいたら、ためらわず医療機関を受診するよう勧めましょう。中には自ら「病気じゃないから」などとやせ我慢する女性がいるかもしれませんが、ここは男性が背中を押してあげてください。

更年期障害はもちろんのこと、他の病気が原因で症状が起きていないかきちんと調べることが大事です。女性は乳がん、子宮がんなどのがん、そのほかの生活習慣病が

起こりやすい年代です。そうした重篤な病気でなければよしとして、つらい症状は治療で改善することをお勧めします。

第4章でも述べますが、更年期障害の治療で代表的なのがホルモン補充療法（HRT＝Hormone Replacement Therapy）です。治療法として長い歴史があり、その安全性や有効性は確立されています。これによって更年期障害の多くの症状が取り除かれ、女性は心身共に楽になります。QOL（生活の質）が向上し、自由に活動できる日常を取り戻します。

現在、日本では、飲み薬、貼り薬（貼付剤）、塗り薬（ジェル）の3種類があります。健康保険が適用されているので費用的にも安心です。

また更年期障害の治療法として漢方も定番になりつつあります。男性の更年期障害の治療法同様に、女性にも適した漢方薬があります。また近年は品質のよいサプリメントもあるので選択肢は豊富です。本人の症状はもちろん希望に合った治療法で、つらい時期を乗り切れるよう助けてあげてください。

変わる女性のセックスを理解する

更年期の女性は性機能も変化します。

わかりやすいのは性交痛。セックスすると痛い、という症状です。更年期以降の女性の半数が性交痛を感じるといいます。

原因は、女性ホルモンが急激に減少し性器に潤いがなくなっていくこと。ようするに〝濡れなくなる〟こと。さらに悪化すると膣萎縮が起きるためです。

男性が長期間セックスせず、マスターベーションもしないとペニスの廃用萎縮が起きると説明しましたが、女性器も同じです。使わなければ〝濡れ〟なくなり、感じなくなっていきます。性欲自体も低下していきます。

男性と女性のセックスに至る体の変化を見ると、男性が性的に興奮し勃起するのに対し、女性は膣の分泌液によって潤うことで対応します。しかし膣が充分潤わなければペニスはスムーズに挿入できず、痛みが伴います。これが性交痛です。この時、男性のペニスがしっかり勃起していないと、性交痛がさらに強くなります。

もし男性が一生懸命誘っても女性が応じないのであれば、その理由に性交痛があるかもしれません。性交痛は、男性のＥＤ同様セックスレスの要因です。

しかし今日、性交痛は解消する方法が色々あります。あきらめずに適切な方法を一緒に考えてあげてください。

アンチエイジングとセックス

シニアになってもパートナーと継続的にセックスすることは、男性にも女性にもたくさんのメリットをもたらしてくれます。

シニアのセックスにはアンチエイジング効果があると言いますが、これは本当だと思われます。科学的に確かな証拠があるわけではありませんが、多くの人がセックスとその快感によって満足し、若々しい喜びを感じています。

よく言われるのは、脳からはドーパミンやエンドルフィンなどのホルモンが分泌されること。どちらも快楽ホルモンなどと言われますが、ドーパミンは人を快活にし、ポジティブにする作用があります。一方エンドルフィンは鎮痛効果や幸福感を感じさせるホルモンで、入浴などで感じる気持ちよさに通じるとも言います。

あるいは心の安定をもたらすセロトニン、同じくストレス解消、安心感をもたらすオキシトシンなども肌の触れあいで生じると言います。

シニア男性は、セックスで女性を満足させることで男としての自信を取り戻すでしょう。女性も愛し愛されることで女としての幸福を取り戻すでしょう。こうした満足感は必ず表情に出ます。全身からにじみ出て肌も若々しくなるというものです。シニアのセックスは、いいことばかりと言っていいのです。

勃起しなくてもいい。射精しなくてもいい

セックスレス解消が本書のテーマであり、シニア男性にとってセックス、そして射

精は健康効果がきわめて高いと述べてきました。できればパートナーと、年を取っても継続してセックスする関係でいる方がよいのは確かです。

ただここで、あえて「射精しなくてもよい」という提案をしておきます。

セックスというと猛々しく女性を征服し、射精でクライマックスを迎える、というイメージを持つ男性が多いと思います。

しかし、シニアのセックスは、そうしたパターン通りにいかなくてもよいのではないでしょうか。そもそも女性は、男性の射精を必須条件だとは思っていません。双方がリラックスして気持ちよくスキンシップできれば、それが一番という女性も多いのです。裸で抱き合って素肌の感触を味わう。その気持ちよさや安心感は何にも代えがたいものがあります。これは愛し合う者同士でなければ得られない究極の癒しです。

「雄々しく勃起して挿入して射精してこそ男だ」とはりきる。そういう時があるのはもちろんいいのですが、互いの体や気持ちをいたわるセックスがあってもいいのではないか、ということです。

今井医師は、『中高年のための性生活の知恵』の中で、次のように述べています。

―男女ともに年を取ってきたら、「勃起しなくてもよい」「挿入しなくてもよい」と思うことで様々な呪縛から解放され、お互いにストレスを感じることが少なくなるのではないでしょうか。―略―「二人で心身共に性的満足を得る」ことに着目した方が、良いセックスライフを送ることができるでしょう。―

第4章

セックスレス解消法
～女性篇～

セックスについてきちんと考えていますか

男性に比べると女性は健康に関心を持っており、自身の体や夫、パートナーの体についても必要な知識を持っているように思います。特に家庭における家族の健康管理は女性が受け持っていることが多いので、健康状態に応じた食事や病気予防につながるライフスタイルを考えて暮らしていることでしょう。

特にシニアになると体重や血圧、中性脂肪、コレステロールなど注意しなければならない要素が増えてきます。自分だけでなくパートナーが肥満、メタボリックシンドローム、生活習慣病にならないように、なった場合はその改善についても注意している女性が多いようです。

ただ同じ体のことでも、セックスに関しては関心外。考えたことがないという女性も多いのではないでしょうか。自分もパートナーも、セックス、あるいは性機能は、健康全般にはあまり関係ないと思っている。

だとしたら大変残念です。というよりそれは大問題です。

セックスは、シニアのカップルにとって重要なテーマです。若い頃のように勢いに任せてするものでもなく、子作りのためにするものでもありません。シニアにとってのそれは、2人だけのコミュニケーションであり、愛情と存在を確かめ合うものです。また心身の健康にとって素晴らしい効果をもたらす魔法と言っていい行為です。

健康のため、パートナーとのよりよい人生のため、愛と幸せのため、ぜひセックスを見直していただきたいと思います。

まずはパートナーであるシニア男性の体について。セックスと性機能、またその健康状態について説明していきましょう。

シニア男性の性機能について

まずあなた(女性)は、パートナー(男性)とのセックス、あるいは性機能について、どう考えているでしょうか。

本書第2章で述べた通り、日本のシニアは年を取ったらセックスをしなくなる傾向があります。先進国中、ダントツで〝しない〟のが日本人です。そうするとパートナーの性機能にも関心がなくなり、男性ホルモンの変化、男性の更年期などにも意識が向かなくなってしまいます。

何年もセックスレスが続いたあげく、パートナーから「最近、おしっこのキレが悪い」とか「PSA値が3・0超えちゃった」などと聞いても、その理由がわかりません。血圧や尿酸値、コレステロールについては、女性も同じなのでわかっていても、性機能に関してはチンプンカンプン。「年をとると前立腺がどうかなるんだったかしら」と感じつつ、前立腺がどこにあるのか、どんな働きをするのかわからないという女性は多いはずです。

これでは人生を共にするパートナーとしていかがなものでしょう。

男性の性機能は、セックスの能力だけでなく、泌尿器の健康状態に関わります。また性機能を表す男性ホルモンは、全身の健康を大きく左右する作用を持っています。

最近、認知度の上がった男性更年期は、加齢からくる男性ホルモンの低下で起きるのですが、はたしてパートナーがそれに該当するのかしないのか、わかるでしょうか。

気づかない人が多い男性更年期の症状。はらたいらに3000点！の陰で

シニア世代なら誰もが知っている昭和の人気テレビ番組「クイズダービー」（TBS　1976～1992）。その解答者として大人気だったのが、漫画家のはらたいら氏です。

篠沢秀夫教授、女優の竹下景子さんなど並みいる知性派の中でも、はら氏の正答率は75％以上とダントツ。この番組は出場者が正答者に自分の持ち点をかけるシステムであることから、最後は必ず「はらたいらに3000点」「はらたいらに全部！」となるのがお約束でした。

はら氏はすさまじい努力家で、番組ラストに集中する指名に応えるために、寸暇を

惜しんで勉強していたと言います。既に大変な売れっ子漫画家だった上に、この番組のプレッシャーが加わり、はら氏は次第に体調不良を訴えるように。そうして地方での講演後に倒れ、救急搬送されてしまいました。当時まだ49歳でした。

その頃の状態を、はら氏は自著『はらたいらのジタバタ男の更年期』で次のように書いています。

「最初に気づいた症状は、だるさ、気力のなさ、集中力の低下など」「新聞を読んでも頭に入らない。机に向かって漫画を描こうとしても元気がわいてこない」「めまいや肩こり」「生まれて初めて経験する心と体の絶不調にただオロオロと戸惑うばかり」

やがて本業の漫画も描けなくなり、わかった病名が更年期障害。病名がわかった後、氏は仕事量を調整し、治療に努めて見事に回復。その後は仕事も生活もマイペースに転換したようです。

さて当時の同氏のエッセイのおかげで、男性の更年期障害の認知度が一気に上がりました。それがどういったものかは、第3章男性篇にも詳しく述べたので、参照してください。ここではパートナー・妻が、夫の更年期に気づき、その回復をどうサポートするかを述べていきます。

うつ病と決めつけないで

男性更年期かもしれないと思って医療機関を受診すると、まず症状に関する問診があります。第3章にも書いたように、問診票は、不眠やうつ、イライラなどの精神症状、のぼせや多汗、全身倦怠感、めまい、耳鳴りなどの身体症状、そしてＥＤや性欲減退などの性機能症状の３つの項目があります。

実際の症状は個人差が大きいので、これらがすべて該当する、ということはないでしょう。どの項目からもいくつかの症状が当てはまり、その症状が重い人も軽い人もいるといったところです。

ただ精神症状だけだと「うつ病じゃないかな」、性機能の症状だけだと「ＥＤかな」、身体症状だけだと「甲状腺や関節の不調」かな、などとバラバラの病気を考えがちです。

またうつ病でもめまいや関節痛、ＥＤが現れることがあるので、なかなか「男性の更年期」に行きつかないというのが困ったところです。

異変に気づくのは女性のパートナー？

女性の更年期は、閉経の前後５年（計10年）くらいが目安で、その間に女性ホルモンが急激に減少します。急な変化でありその年代に足並みが揃っているので、わかりやすいと言えます。

これに対して男性のホルモン低下は、もっと長期にわたってゆっくりと進行していきます。大体40歳くらいから数十年の後半生をかけてゆっくりと減っていく感じ。早い人は30代から、遅い人は70代以降とバラバラです。そのため本人は、体調不良の原因がホルモン低下であることになかなか気づきません（ちなみに前述のはらたいらさんの異変に気づいたのは、長年つきあいのあったベテラン女性編集者だったそうです)。

一般的には、男性と長い間生活を共にしていて、仕事も生活様式も性格も知り尽くしているのはパートナーである妻です。年を取って体力や気力が落ちてくるのは当たり前のことですが、身近にいる人だからこそ「でも、何かが違う」「ただの疲労や加齢じゃない」という異変に気づく。「ひょっとしたら更年期?」とひらめくのは妻かもしれません。

確かに夫に関しては、医師の問診よりはるかにたくさんの要素を把握していて、その異変に気づく人の多くは、妻など女性のパートナーであることが多いようです。

また「ゆっくり減っていく男性ホルモン」ではありますが、ショックな出来事があると(左遷、解雇、家族の死など)、急激に低下することがあるそうです。それがきっかけで体調が突然悪化し、医療機関を受診してわかることもあります。

医者嫌いを専門医へ

一般的にシニア男性は医者嫌い、病院嫌いが多いように思います。会社の健康診断は受けますが、それ以外の不調ではなかなか病院には行きません。虚勢を張っているというか、人に弱みを見せたくない。本当は臆病で、がんのような深刻な病気が見つかったらと思うと、怖くて行きたくないのでしょう。

深刻な病気だけが怖いのではありません。男性は、更年期障害なんて女のような病気はカッコ悪いと内心思っているのです。男性にも更年期はある。近年それはほぼ認知されつつあるように思う。しかしそれを我がこととして考える人はまだ少ないのです。

「更年期？　ああ、そういうのあるみたいだね。はらたいらがそうだったっけ？　オレは違うと思うけどね」

そういう男性が多いのではないでしょうか。更年期障害よりは「うつ」、あるいはストレスによる何とか障害とか、そういう病名がついた方がいいと思っている。

しかしこれは大間違い。「うつ」やその他の精神疾患は治りにくい。かつ再発しやすい。一方、男性更年期障害は、おおざっぱに言えば男性ホルモンの減少によって起こるため、男性ホルモンの量や活性が回復すれば、全身症状の多くが解消することが多いのです。更年期の症状が回復すると共に、更年期障害の症状の1つであるうつ症状も解消することが少なくありません。男性更年期障害は、比較的治りやすいと考えていいでしょう。

ただし、どんな病気も体調不良も、早期発見、早期治療が一番です。更年期障害も、放置して何年も経ってからと、ここ2～3週間前からでは、回復にかかる時間は大きく変わってきます。その分かかる費用も違ってきます。

話を戻すと、そうした気弱な男性をうまく言いくるめて医療機関を受診させるのは、女性のパートナーが適任です。一緒に行かなくても、受診するよう背中を押してあげるのでもいいでしょう。

男性の更年期障害を治療するのは、科でいえば泌尿器科ですが、最近増えているメンズクリニック、メンズヘルス外来といった看板を掲げている医療機関も、男性更年期やＥＤ、男性不妊などを診療しています。またかかりつけの内科があれば、ざっくばらんに相談してみると専門医を紹介してくれるでしょう。

今はインターネットで「男性更年期」と検索すれば、該当する近くの医療機関が簡単に見つかります。

男が女より短命なのはなぜ？

少し余談になりますが、男性の医者嫌いについて、最近ＷＨＯ（世界保健機構）が面白い報告書を発表したので紹介しておきます。それは「性別による健康格差に関する報告書」というものです。

https://www.who.int/news-room/detail/04-04-2019-uneven-access-to-health-services-drives-life-expectancy-gaps-who

この報告書によると、世界的に女性の方が男性より長生きであるということ。世界の平均寿命は男性が69・8歳、女性は74・2歳です。約5年の差があります。（日本は男性が81・09歳、女性が87・26歳でその差は約6年。2017年）。

この寿命の差に関してWHOは、「男性は病院嫌いだから」との見解を示しています。根拠は、日本や欧米のよう所得の高い先進国とアフリカ諸国のような途上国を比べると、前者の方が男女差が大きいから。なぜなら医療体制が整っている国では、同じ病気できちんと治療を受ければ治癒の確率に男女差はあまりない。従って寿命の男女差は縮まるはずなのに、逆に差が開いている。ということはいかに男性が病院に行かないか、ということだとしています。

もちろんこれまでも寿命の男女差について、女性の方が免疫力が高いとか、生物としての遺伝的な違いとかたくさん理由は挙げられています。理由は1つではありません。ただ確かに日本の男性、特にシニア世代の男性は医者嫌い、病院嫌いの傾向があるように感じないでしょうか。

企業が行っている定期健康診断は、実施が義務づけられているので、ほとんどの会社員男性が受診します。ただし「再検査」となった時には対象者の4分の1がこれを無視する、というデータがあります。

なぜ再検査を受けないのか。その理由として「来年はちゃんと受ける」「あの時は前日うっかり飲んでじゃったから（結果はあてにならないと思う）」という言い訳が多いようです。が、結果を怖がっているとしか思えません。

酒席で「γ-GTPが怖くて酒が飲めるか」「尿酸値が怖くてビールが飲めるか」などと強がって飲んでいるのは、ほぼシニア男性です。豪快な言葉とは裏腹に、尿酸値が上がらない焼酎を選んでいたりして、その小心ぶりは可愛らしいとも言えなくもありません。

こうした男性の体調不良、特に更年期障害を治療に持ち込むのは、やはりパートナーの巧みな戦術以外にないと思います。

彼はしたい。彼女はしたくない

本題に入りましょう。

本当は気が弱く、虚勢を張って生きている男性にとって、更年期でセックスがうまくいかなくなるのは、恐怖以外の何ものでもないようです。

最近セックスしていない、朝立ちもあまりしない、それでも奮起して妻に誘いをかけたら、疲れているからと断られた。これだけで自信喪失、全人格を否定された、と男性は感じると言います。

妻のセックス拒否で、ただでさえ自信のなかった性機能はさらにダウン。男性ホルモンは急降下。本格的なＥＤ＝勃起不全に突入なんていうこともあります。

まさか、その程度のことで、と女性は感じますが、男とはそうした生き物なのです。それほどデリケートで傷つきやすい（そのくせ人の話はロクすっぽ聞いていない）。まずそのことをしっかり認識していただきたいと思います。

裏を返せば、妻・パートナーに、いかに絶対的な信頼を置いているかがわかります。

何があっても彼女は自分の味方、自分を愛してくれている、彼女さえいれば自分は百人力。そう信じて疑わない。信じ過ぎるがゆえに、彼女の気持ちなど考えなくなってしまっている、ということはないでしょうか。

本書はシニア世代のセックスレス解消法がテーマです。ですので本当に疲れているだけだとしても、あまり簡単にセックスを拒否しないであげてください。彼は消沈して二度と誘えなくなるかもしれません。

本当にセックス拒否の理由が疲れているだけなら、大げさにあやまって「次は私から誘うから、忘れないでね」くらいは言ってあげてはどうでしょう。そうして、わざとらしいくらい優しくハグしてあげましょう。

彼女はしたい。彼はしたくない

世の中には、彼女はセックスしたいのに彼がしたくないカップルもいます。

理由はケースバイケースなので一概には言えませんが、いくつか考えてみましょう。例えば彼の性欲自体がなくなってしまった。あるいは性欲はあるけれどＥＤ＝勃起障害っぽい場合はどうでしょう。

性欲がない、性欲があってもＥＤ＝勃起障害の場合、加齢などからくる更年期障害の可能性があります。医療機関の門を叩いて専門医に相談するのが一番です。

性欲自体がなくなってしまった人の場合、詳しく理由を調べる必要があります。男性ホルモンが減少している更年期の場合、問題は性欲だけではないかもしれません。他にも更年期特有の不眠、抑うつ、倦怠感、関節痛といった体調不良はないでしょうか。こうした症状の原因が、実は更年期障害という場合が多いのです。これらの症状別に治療してもはかばかしくないという場合、更年期障害の治療をするとすべてが改善する人がいます。

またセックスしたくない理由がＥＤっぽい場合も、更年期障害の治療が役にたちます。ぜひ泌尿器科など、男性更年期の診療をしている医療機関で相談しましょう。

更年期以外のＥＤの場合も、今はよい薬がたくさんあります。バイアグラをはじめとして希望するセックスのパターンに応じた薬が選べます。一晩だけ効けばいいのか、週末の土日に効いてほしいのか、などに応じて薬を選ぶことができます。

もし「バイアグラなんて…」と眉をひそめる女性がいるとしたら、考えを改めましょう。ＥＤ治療薬は医学界でも評価の高い薬です。

今、男性医療は進歩し、大変充実しています。くよくよ悩んだり、あきらめたりする必要はありません。更年期障害もＥＤも治る時代なのですから。

あまりに長期間放置していると、廃用萎縮（使わない部分は縮んで機能しなくなること）といった状態になり、治るのに時間がかかります。

したくないならそれでいいのか

女性には性欲があってセックスがしたいのに、パートナーである男性にその気がない、もうセックスなどしなくていいと思っている場合はどうでしょう。

この場合、彼がどう思っているのか、本心はどうなのかによります。それによって、女性からどうアプローチすべきかが変わってきます。

まず女性が男性に、自分はセックスしたいという意思を、何となくでも伝えているかです。もし伝えていて男性が知らん顔をしているようなら、それは思いやりのない態度であり、きちんと彼女のことを考えていないと言えるでしょう。

彼女を愛しているのにセックスしないというのであれば、なぜその気にならないか、聞き出す必要があります。積極的な女性が苦手だという男性もいるので、そこはさりげなく本音を聞き出しましょう。

単純に「もう年だし、今さらそういうのは……」という発想であれば、セックスと性ホルモンの役割や働きについての認識不足です。性ホルモンは性機能だけでなく心身の健康維持に強力な働きを持っています。血管や骨、筋肉の維持にも、メタボリックシンドロームの予防や改善にも欠かせません。認知症の予防にも役立つことがわかってきました。

セックスはしない、性ホルモンなんかいらない、という姿勢では、様々な病気を招き、早く老けようとしているようなものです。

年を取ってもセックスしているカップルは若々しく活力があり、満足感、幸福感を感じていることが多いようです。

そういう働きのあるセックスを「年だから」という理由で止めてしまうのは、もったいないのではないでしょうか。

家族とはセックスできない

妻・パートナーとセックスレス。妻とはしたいと思わない男性もいます。

その理由として、長く一緒に暮らしていると、妻は家族になってしまうから、というパターンがあります。特に子どもがいると、男と女ではなくお父さんとお母さんになってしまい、家族の〝お母さん〟に対して性欲がわかない、というのです。

では彼自身の性欲はどうなっているのでしょう。性欲がなくなってしまった可能性があります。そうなると男性ホルモン低下で男性更年期の症状が出てくる可能性があります。性欲があるならマスターベーションで解消しているのかもしれないし、外にセックスする相手がいるのかもしれません。不倫関係なのかフーゾクなのか。いずれにしてもこれは別の問題になるので、ここでは追求しないでおきます。

話を戻すと、妻は家族だからセックスする気が起きない、という男性をその気にさせるのは、簡単ではないと思います。セックス以外の関係はきわめて良好だということになると、問題は妻の性欲だけということになってしまいます。

ここは単純にあきらめるのではなく、女性が自分の思いを遂げるために、工夫をして夫をその気にさせる必要があります。能動的に女性がセックスを楽しむ方法についいて後述するので、ぜひ参考にしてください。

ＮＨＫのあさイチでセックスレス特集

数年前から、ＮＨＫ朝の人気情報番組あさイチでセックスレス特集をやっているのをご存じでしょうか。１年に１回くらいですが、定期的に放送されています。朝の連続ドラマが終わった直後の８時15分が番組スタートでもあり、ここでいきなりセックスという言葉が登場するので賛否両論、度ごとにお茶の間をザワつかせています。

もう10年前になりますが２０１０年６月23日の特集では、セックスレスに悩むシニア女性の座談会が放送され、原因や解決方法などが語られました。

この回のゲストだったのがタレントの杉本彩さん。自ら「永遠に男性の欲望の対象でありたい」と公言するセクシーキャラの彼女は、セックスレス解消法について、女性はふだんから異性を意識させるよう外見に気を使うべき、というアドバイスをしていました。

結婚して長い時間がたっても、年を取っても女であることを忘れてはいけない、ということ。「ビジュアル的にも、言動にも、自分は女だという自覚がないと、男の人は妻を抱こうとはやっぱり思わない」というのが杉本さんのコメントです。

よく欧米の夫婦は何歳になっても男と女であることを忘れない、70歳、80歳になっても、頻度は減ってもセックスはすると言います。そのため男も女も異性であり続ける努力をするのです。

ひるがえって日本人は、加齢とともに枯れるようにセックスをしなくなる。自然に双方がしたくなくなるからではありません。第2章でふれたように、本当はしたいのに、夫婦のすれ違いでしなくなってしまう、という感じです。タイミングが合わない。それをお互い伝えない。そのうち互いにあきらめてセックスレス。

これでは長い人生の楽しみを1つ放棄することになります。豊かで幸せな時間と感覚を捨ててしまうことになります。何ともったいないことでしょうか。

ここは「女の私からアプローチするなんてはしたない」と思わずに、ぜひ男性をその気にさせてみてください。再びセックスを取り戻せば、どちらがアプローチしたかなんて関係なくなります。

子ども中心ではなく夫婦中心の家庭環境を

今井医師は、日本の夫婦がセックスレスになる原因として、親子関係を重視しすぎることを指摘しています。その象徴とも言えるのが、「親子で川の字になって寝る」という習慣です。

布団を2〜3枚ひいて、お父さんとお母さん、その間に小さな子どもを挟んで就寝する。幸せな家族の風景、と日本人はとらえますが、夫婦はいつ、どうやってセックスするのでしょう。いつ目を覚ますかわからない子どもを挟んでいては、うかつに始められません。

「子どもは赤ん坊の頃から自室でひとりで寝るようにしつけ、夫婦は夫婦だけの寝室で寝るのが当たり前だという風潮を作るべき」

と今井医師。

確かに欧米では、子どもは赤ん坊の時から自室で一人で寝かせます。早いうちから自立心を養うためです。ひるがえって日本では〝川の字〟で寝るような密着した関係が、親離れ、子離れを阻んでいるとは言えないでしょうか。

子どもはいずれ自立していきます。長い間の子ども中心の生活は、子どもが自立していった後の夫婦関係を空疎なものにしてしまいます。

子どもがいても夫婦はカップルとしてふるまう。子どもも、両親が愛し合って仲良くしている様子を見て育つ。家庭とはそういうものだという認識を子どもに持たせるのは、子どもの将来にとってもよいことです。

今井医師はさらに提起します。

「最近はやりの、〝壁のない家〟というのもいかがなものか。リビングを中心に、子ども部屋も夫婦の寝室も、小さな敷居があるくらいで空間がつながっている構造の家がもてはやされています。開放的という名のもとに、家族一人一人のプライバシーを無視した設計になっています。この家の夫婦はセックスしないのか、年頃の男子はマスターベーションしないのか、心配になります」

シニアになってから〝子どもと川の字〟の話をされても手遅れかもしれませんが、カップルは生涯カップルです。愛し合う二人の関係が生涯変わらないようにありたい。セックスはそのためにあるといっても過言ではないでしょう。

女性が〝マグロ〟ではシニア男性は重労働

女性がしたいのに男性がしたくない場合の解消法について続けます。

セックスに関して、以前は男性中心というイメージがありました。まず男性ありきで、男性が主導権をとってセックスをするというパターン。女性はあくまで受け身です。

これがそもそも間違いなのです。

「自分ばっかり。適当に体触って、入れてフィニッシュ。5分よ！　そんなセックス誰がしたい？」という男性の手抜きに怒る女性もいるようですが、うまくいかないセックスは男性だけが悪いのでしょうか。必ずしも男性が一方的に快感を得るだけというとではなく、女性の快感も男性任せにしていないか、ということです。

女性の快感はすべて男性にお任せ、となると、男性は女性をその気にさせ、快感を引き出し、最後にはオーガズムを感じさせるよう努めます。同時に自分も射精してオーガズムに達しなければなりません。

もし女性パートナーが自分からは何もしない、いわゆる〝マグロ〟状態であれば、男性がすべてを請け負うことになります。考えてみればこれはなかなか重労働です。もし妻・パートナーとセックスしたいと思ったら、

「えーっと、まず夕食後からボディタッチして、髪とかなでて、マッサージとかして、キスして、ベッドに入ったらまず服を脱がせて、下着はえーと…。彼女が気持ちよくなるまで最低何分触らなきゃいけないかな～。あ～面倒くさいなあ。もういいや。やめとこ」

せっかく女性もその気になっているのに、全て男性任せではシニア男性には負担が大き過ぎるのではないでしょうか。

女性も能動的に自ら楽しむ

シニア女性の中には、自ら男性の体に触れて性的に興奮するパーツを愛撫するなんて恥ずかしい、という人もいるかもしれません。女は受け身でいいと思っている。しかしそれは大間違いです。

女性が触れられて興奮するように、男性も触れられて感じるところ、興奮するところはたくさんあります。男だから女だからではなく、全身を使って相手の体を慈しむことはセックスの基本です。

女性は〝マグロ〟を止めて相手の体に触れましょう。お互いの気持ちよいところ、エクスタシーを感じるところを探り合いましょう。実際に体に触れて探り合うことが、そのまま快感につながります。

また女性は、触れられて興奮する、気持ちがいいのであれば、それを男性に伝えた方がいい。よく女性は「エクスタシーに達したふりをする」と言いますが、イクふりだけしているから女性のセックスの総体や本当の快感が男性に伝わらないのです。ここが気持ちいい、ここが興奮する、と言葉でなくていいので随時伝えてわかってもらいましょう。

同様に、してほしくないこと、気持ち悪いこともはっきり伝えるべきです。

マスターベーションの勧め。40代では半数近くが楽しんでいる

女性も能動的にセックスを楽しみましょう。そのためにぜひお勧めしたいのがマスターベーションです。

マスターベーションはひとりで自由にできますし、オーガズムも確実に得られます。パートナーがいる人もいない人も、いてもセックスレスという人も、誰でも気楽に楽しめるものです。

年代によっては、マスターベーションなんて恥ずかしい、やってはいけないこと、

といった羞恥心や罪悪感を持つ人がいるかもしれません。上の世代ほど、性に対してタブー意識を強く持っているものです。

実際は多くの人が、口には出さないもののこっそり楽しんでいますし、それによって充足感、満足感を得ています。

日本性科学会セクシュアリティ研究会の調査によると、40代以上の女性がマスターベーションをする頻度は、月一回以上では40代が43％、50代が23％、60代が13％でした。40代では半数近くが、50代でも4人に1人が行っていることになります。「へえ、意外にやっている」という印象ではないでしょうか。

女性に比べると男性はもっと頻度が多く、女性のような羞恥心、罪悪感、タブー意識はないようです。男性は若い頃から普通にしているものですし、ある程度、仲間内で話題にすることもあります。逆に女性は、セックスの話はしてもマスターベーションの話はまずしません。そこに男性と女性の文化的背景の違いがありそうです。また、やはり女性はセックスに関しては抑圧されていることがわかります。

しかし、そもそもマスターベーションの、どこに罪悪感を感じる必要があるのでしょう。誰にも迷惑をかけず、お金もかからず、ひとりだけで楽しめ、ストレス解消にもなります。譬えてみれば、夜中にこっそりケーキを食べるのと変わらないと思います。

セックスの準備運動と健康効果

マスターベーションをお勧めする最大の理由は、まず自身のオーガズムを知るためです。セックスはたくさんしていても、オーガズム体験のない人は少なくありません。セックス、あるいは性行為における快感のクライマックスであるオーガズムは、ぜひ経験していただきたいと思います。

本書の監修者の一人で、性科学者の大川玲子医師は、マスターベーションの効用について次のように述べています。

「（マスターベーションの効用は）、性感を高め、オーガズムを得る方法を自分で学習できること、そしてその方法をパートナーとのセックスの際に伝えられること」。

本書のテーマであるセックスレスの解消につながり、再びセックスを楽しむための予行練習、あるいは準備運動にもなります。

またマスターベーションで得られるオーガズムやそれに至る快感は基本的にはセックスと同じですので、膣などの性器の廃用萎縮を防ぐ効果もあります。ひいては性交痛の予防にもなると言えるでしょう。

またマスターベーションでオーガズムを得られれば、心身に鬱積した欲求不満が解消でき、寝る前に行えば全身がリラックスしてよく眠れます。また海外の研究では、片頭痛の改善につながるというデータもあります。このようにマスターベーションと、それに伴うオーガズムはいいことづくめと言っていいのです。

マスターベーションのお手本は女性向けのものを

あまりマスターベーション経験のない女性の場合、実際に行う場合は、お手本があった方がいいかもしれません。具体的な方法、例えばどこに、どんな風に触れて、どんな風に愛撫したらよいかはパソコンやスマートフォンでネット検索をすれば、驚くほどたくさんのサイトでお手本やノウハウが見つかるので、参考にしていただきたいと思います。

ただしネット内の情報は玉石混交で、いい加減なものも少なくありません。悪意のあるサイトや詐欺などのリスクも、少なくなってきたとはいえ可能性があります。ですので検索の際には「女性向け」をキーワードにすると、ソフトで安全性も高く、試しやすいものが見つかるでしょう。

男性向けのもの、例えばAVなどは暴力的なものが多く、あくまで男性向けなのでお勧めできません。

第5章でも述べますが、最近は作家の岩井志麻子さんらが舵取りをして、女性向けのAV作品がたくさん作られるようになりました。こうしたものは、女性が感じるシチュエーションや出演者、女性の性感を高める細やかな工夫がなされています。種類も非常に豊富なので、自分好みのものを見つけていただきたいと思います。

更年期、ちゃんと知っていますか？

次に女性の更年期について。

女性の更年期は一般的にも知られているので、50歳前後に体調がすぐれなくても、「ああ、更年期かも」となって、それほど驚く人はいないと思います。もちろん月経が止まると「女として終わり」と悲しくなる人もいるでしょうが、生殖機能が終わるのであって〝女〟が終わるわけではありません。

ただこの時期は、更年期障害とは違う様々な生活習慣病が顔を出してくる時期でもあるので、後述しますが、自分の体について正しい知識を持っていた方がいいでしょう。

まずご存じのように更年期とは、それまで卵巣から分泌されていた女性ホルモンが急激に減少する時期です。時期的には大体閉経の前後5年の計10年。閉経の平均年齢は50歳なので、更年期は45～55歳が目安になります。

この女性ホルモンの減少によって様々な体調不良が起きると更年期障害となりま

す。

次の説明をご覧ください。前章で紹介した「男性の更年期障害」と共通する症状が多いのがおわかりでしょうか。性機能の症状以外は全て共通していると言っていいでしょう。

○精神症状……不眠、無気力、イライラ、集中力や記憶力の低下、不安感、抑うつ……。
○身体症状……のぼせ・多汗、全身倦怠感、筋肉や関節の痛み、筋力低下、骨密度低下、頭痛、めまい、耳鳴り、頻尿。
○性機能の症状……性交痛、性欲減退。

いずれ治まるが我慢する必要はない

多くの女性が経験するものの個人差は大きく、朝起きるのもつらいほどの倦怠感や抑うつ状態になる人もいれば、ほとんど何も感じずに通過してしまう人もいます。更年期は誰もが経験するものの、更年期障害が起きる人もいればない人もいる、という感じです。期間も長い人もいれば短い人もいます。

前述のように更年期の症状は多岐にわたります。突然大汗をかくほてりやのぼせ（ホットフラッシュ）をはじめとして動悸・息切れ、肩こり、関節痛、めまい、関節痛、倦怠感、不眠、頻尿、性交痛などの身体症状。あるいは抑うつ、イライラ、不安などの精神症状などがあります。

女性ホルモンは性機能だけでなく自律神経など全身の様々な臓器とその働きに影響を与えています。そのためこのホルモンが減少すると、全身あちこちの調子が悪くなるのです。

また更年期障害と言えるような体調不良が起きる背景には、この年代の女性を取り巻く環境があります。加齢による体力の衰え、子育てや親の介護、経済的な問題、仕事上の悩みなど複雑な問題がいくつも重なる年代です。

ただ女性ホルモンが減っても、いずれ体がそれに慣れ、女性ホルモンなしでもコントロールできるようになります。そして体調は回復します。それまで我慢するのではなく、つらい人はきちんと治療して体調を立て直しましょう。

性交痛とは何か

この時期、更年期障害による体調不良で、セックスなんかする気にならない、という人もいるでしょう。その場合は、きちんとパートナーに更年期であることを伝えましょう。年齢的に更年期であることは薄々わかっても、男性は詳しい症状までは知らないものです。メンタル面のことも含めて前述のように色々な症状があることを理解してもらいましょう。

セックスに関する問題症状では、性交痛があります。ようするにセックスする時発生する痛みです。

女性ホルモンが低下、あるいは体調不良で性的に興奮しにくくなり、膣が濡れないためにペニスの挿入がスムーズにいかず、こすれて痛い。膣周辺の皮膚も潤いが不足し、かゆみが出たり、炎症を起こしたりします。

また長い間セックスレスが続くと、膣などの性器が廃用性萎縮を起こして皮膚が薄くなり、縮んでしまいます。そうなると更年期か否かにかかわらず濡れにくくなり、挿入すると痛い、ということになります。

こんな時は無理をせずセックスはお断りしてもいいですし、する場合は潤滑ゼリーなどを使うことでスムーズにできるようになります。

いずれの場合も、前提として不調をパートナーにきちんと理解してもらうことが大切です。単に「したくない」「痛いから」では相手も心配するでしょう。またなぜ拒否されたのかわからず、「ひょっとして下手だから?」と自信をなくしてしまうかもしれません。

更年期障害と間違いやすい病気

50歳前後で疲れやすさ、イライラ、不安感、あるいはめまいや動悸などがあると、「更年期かな」ととらえる人が多いと思います。

ただ少し注意してほしいのは、同じような症状の中に別の病気が隠れている場合があることです。繰り返しますが50代以降は、子宮がんや乳がんなど婦人科系をはじめとしたがん全般や、その他の生活習慣病などが顔を出してくる年代です。

特に間違えやすいのが甲状腺機能異常で、体のほてり、のぼせ、大汗、さらに動悸がするなどの症状が更年期障害とよく似ています。他にも子宮頸がんや子宮体がん。これらの初期症状の不正出血は更年期の月経不順と間違えやすいものです。あるいは手指の関節の痛みは関節リウマチの初期症状でもあります。更年期はこれらの病気の好発年齢でもあるのです。

会社勤めをしていない女性は、どうしても健康診断を受ける機会が少なくなります。そうした人は40～45歳くらい、最近よく聞くプレ更年期の年代になったら、体調不良の有無にかかわらず毎年一回は全身の健康診断を受けましょう。またどこの自治体も行っているがん検診は必ず受けましょう。

また閉経して女性ホルモンの力がなくなると、骨量が減って骨粗鬆症になりやすくなりますし、血圧が高くなることから動脈硬化が進行したりします。

男性もそうですが、性ホルモンは〝性〟以外の働きがとても大きく多彩です。しかし、それがあまり知られていません。更年期は体が大きく変化する時期ですので、健康面から見直しをはかる時期でもあるのです。

一般的になった更年期障害の治療

繰り返しますが、更年期の症状は個人差がとても大きいものです。軽いホットフラッシュがあるくらいで生活に支障がないという人も少なくありません。しかし中には、朝起きられないほどのめまいや倦怠感、死にたくなるほどの抑うつ状態などの重い症状を抱える人もいます。

今日、つらい症状に耐えるのはナンセンスです。まずは他の病気が原因で症状が起きていないか医療機関できちんと調べること。重篤な病気がなければよしとして、つらい症状は治療で改善することをお勧めします。

更年期障害の治療は、代表的なのがホルモン補充療法（ＨＲＴ＝Hormone Replacement Therapy）です。これは文字通り閉経によって減少するホルモンを医学的に補充する方法です。これによって更年期障害の多くの症状が取り除かれ、女性は心身共に楽になります。ＱＯＬ（生活の質）が向上し、自由に活動できる日常を取り戻します。

欧米など先進国ではこの治療法には長い歴史があり、安全で有効性のある治療法として定着しています。

現在、日本では、飲み薬、貼り薬（貼付剤）、塗り薬（ジェル）の３種類があります。健康保険が適用されているので費用的にも安心です。

乳がんのリスクはある？　ない？

かつてホルモン補充療法を行うと乳がんになる、という説があったことを覚えているでしょうか。これはがん細胞が増殖する際、ホルモンをエサにして成長するためです。

そのため世界中で、ホルモン補充療法と乳がんの関係についての研究や調査が行われました。

問題は、この治療法を行った人と行わなかった人で、乳がんの発生に差があるかどうかというもの。多くの研究報告から、この2つの間に差はないということがわかりました。つまり乳がんの発症とホルモン補充療法との間に因果関係はないという結論に達しています。

ただし既にがんを発症している人は別です。前述のようにがんが増殖し、成長する可能性があるので、この治療法は禁忌となります。治療中に乳がんを発症した場合は、すみやかに治療を中止します。

乳がんだけでなく子宮体がんにも、ホルモン補充療法がリスクとなります。これはホルモン投与によって子宮内膜が増殖し、不正出血や子宮体がんの発症につながる可能性があるからです。

そこで現在、この治療法に使うホルモン剤には、卵巣が分泌するエストロゲンと黄体ホルモンの2種類が入っています。この2種類のホルモンによって子宮内膜が増殖し過ぎず、ちょうど毎月の月経と同じような作用が起き、子宮内はきれいにリセットされます。これで子宮体がんのリスクは消失します。

女性ホルモンと女性の体の関係は複雑です。閉経後間もない人と閉経してから何年もたつ人には違いがありますし、誰にでも同じ量の同じ薬というわけにはいきません。従って自分の体にあった使い方をすることが肝要で、それによって更年期のつらい症状を上手に乗り切ることができるわけです。

ホルモン補充療法の薬の特徴と選び方

ホルモン補充療法に使われる薬には色々なタイプがあります。口から飲む内服薬、皮膚に貼り付けるパッチ、塗って使うジェル剤、膣に挿入する膣坐剤などです。これらの特徴は次の通りです。

まず内服薬は1日1回飲めばよいので、最も手軽です。ただ、内服薬全体に共通することですが、薬が消化器を通るため胃腸や肝臓に多少負担がかかると言えます。

一方皮膚から吸収されるパッチやジェルは、胃腸や肝臓を通らないので胃腸の弱い人、肝機能が低下している人でも大丈夫です。ただし皮膚に直接貼ったり塗ったりするので、肌が弱い人はかゆみやかぶれが出る場合があります。

また膣に挿入する膣坐剤は、全身へのホルモン補充自体はあまり強力ではありませんが、性交痛への効き目が他の薬より優れている点が特長です。

前に述べた通り女性ホルモンのエストロゲンだけを投与すると子宮体がんのリスクが増すので、エストロゲン（卵胞ホルモン）に加えてプロゲステロン（黄体ホルモン）

を同時に投与することで月経と同じような作用になり、子宮をリセットする方法があります。ただしこれは手術で子宮を摘出した人には必要ありません。

ホルモン補充療法に使う薬は、その人の体質や状態、あるいは本人の希望によってふさわしい薬が変わります。医師とよく相談して、受診を続けながら使用するとよいでしょう。

またこの方法は、残念ながら全ての女性に有効というわけではありません。乳がん、子宮がんなどのがんの患者、心筋梗塞や脳梗塞の経験者、血栓症の治療薬を使っている人には禁忌となります。他にも既往症や他の薬との兼ね合いがあるので、医師としっかり相談して治療を受けましょう。

性交痛が解消すればセックスがスムーズになり快感もよみがえる

ホルモン補充療法によって、多くの更年期症状が解消します。その中に性交痛の解消も含まれています。前述のように性交痛は、性欲や性的興奮が減退し、膣など女性器が充分潤わないことに起因します（廃用性萎縮も含めて）。

しかし女性ホルモンが以前のように作用すれば、前述のような問題が解消され、性交痛も解消します。

もしセックスのブランクが長く膣の萎縮が進行している場合は、回復までに少し時間がかかるかもしれません。その場合は、保険適用ではありませんが、レーザー治療などで回復を早めることも可能です。

ホルモン補充療法は幅広い年代の女性に有効です。70～80代の女性の性交痛を改善するというデータがあり、何歳になっても安心して使用できると言えそうです。スムーズなセックスが可能になれば、性的な興奮や快感もよみがえってくることでしょう。

セックスによるアンチエイジング効果やQOLの向上

セックスがうまくいく、性機能が回復する、ということは、多くの場合QOL全体の向上につながります。うつうつとして悲観的だった気持ちも明るくなり、生きていることが楽しいと感じる女性が多いようです。

パートナーに対する不満も減り、寛容で優しい気持ち、ひょっとすれば若い頃のような甘い恋愛感情がわきあがってくるかもしれません。

メンタル面だけでなく、女性ホルモンには骨量を増やして骨粗鬆症を予防・改善する、血管を強くして動脈硬化など血管系の疾患を防ぐ、脂肪の代謝を良くして肥満・メタボを解消する、過活動膀胱や頻尿など泌尿器系のトラブルも軽減する、など多彩な効果があり、メリットは枚挙にいとまがありません。

こうした効果は、言い換えれば心身全てに関する強力なアンチエイジングと言っていいでしょう。

性欲を司るのは男性ホルモン？

男性には男性ホルモン、女性には女性ホルモン。これは誰でも知っています。ただし男性にも女性ホルモンがあり、女性にも男性ホルモンがある、というのも事実であり、どちらも欠くことのできない働きをしています。

特に女性の体の中の男性ホルモンは、更年期以降、減少した女性ホルモンに代わって健康を維持するために八面六臂の働きをしています。例えば筋肉や骨の強度を保って骨粗鬆症を防いだり、血管を丈夫にしたり、認知機能を維持したり、積極性や社交性を高めるなど多彩な働きをしてくれます。ほぼ前述の女性ホルモンの代わりをしてくれると言ってもいいでしょう。

更年期で男性ホルモンが減少した男性が抑うつ傾向になるのは、このホルモンが持つ力を証明していると言ってもよいでしょう。

女性の体内の男性ホルモンは、男性の10分の1程度と少ないのですが、それでもあるのとないのでは大違いです。それどころか更年期で激減する女性ホルモンとバランスが逆転し、男性ホルモン優位になることがあります。

男性ホルモンは性欲を司るホルモンでもあります。更年期以前でも以降でも、「したい」気持ちは男性ホルモンのなせるワザなのです。更年期になると性欲が減少すると述べましたが、中には男性ホルモン優位になって性欲が強くなる女性もいるようです。

もし自分が更年期過ぎたのに性欲が強くなった、「したい」気持ちが増して、なんとなくムラムラするというのであれば、それは男性ホルモンが優位になっているのかもしれません。決して異常なのではなく、むしろ頼もしい現象だと言っていいでしょう。

男性ホルモン補充で性欲と元気を取り戻す

更年期以降、それまでのセックスレスを解消して、再び若い頃のような愛情に満ちた性生活を取り戻す。そうすれば、既にふれたように心身の健康面でもたくさんのメリットがあります。アンチエイジングになり、年齢よりずっと若々しく、元気に毎日を過ごせる可能性が出てきます。ＱＯＬが向上し、充実したシニアライフが送れるようになります。

ただし更年期女性の男性ホルモンが思いのほか減少してしまうと、やはり性欲が減少しセックスなんか「したくない」となってしまうかもしれません。

そこで女性に対して、男性ホルモン（テストステロン）が増える治療をすることも可能です。そうして性欲を回復させることもできます。治療法としては、男性ホルモンに少量の女性ホルモンが入った注射薬があります。塗り薬の市販薬もあります。

男性ホルモンは社会性のホルモンとも言われ、他者に対する交渉力や積極性を高める働きがあるという説があります。男性ホルモンが働くことでセックスに対して素直になり、セックスレス解消にもつながります。

アメリカには、ＦＤＡ（食品医薬品局、日本の厚生労働省にあたる）で認可されたアディ、バイリーシといった性欲障害を改善する薬がありますが、残念ながら日本では未承認です。

様子を見ながら使える漢方。進歩したサプリメント

女性ホルモン補充療法に話を戻します。

この治療法はメリットが多く、多くの女性に試してもらえる治療法だと言えます。ただ薬である以上、副作用が全くないわけではありません。

たとえば軽い乳房の張りや痛み、胃がもたれる、吐き気、頭痛などが起こる人がいます。また月経と同じような出血がある場合もありますが、いずれ落ち着くとされています。またホルモン剤は、わずかですが血液凝固作用があるので静脈血栓が起こる人がいます。

いずれも重篤なものではないので、定期的に受診し医師と相談しながら薬を調整することで薬を続けることができるでしょう。

ただ乳がんとの関係は、発症するわけではないとしても、誰もが感じる不安材料です。定期的に乳がん検診をしていれば大丈夫とはいえ、もし検査時に見つからないが

んがあったら、もし検査と検査の谷間にがんができたら、など神経質な人は若干ストレスになってしまうかもしれません。そうした人は、漢方やサプリメントという選択肢もあります。

近年漢方薬は非常に人気があり、西洋医学にない効能を求めて、中国などの漢方薬は世界的に引く手あまたの状況が続いています。そのくらい東洋医学には西洋医学にない魅力があるのだと思います。

ちなみに日本ははるか昔から漢方を輸入し、日本独自の和漢という医学を作り上げてきました。医療制度に関しては、世界でも早い時期に保険適用になっています。また近年、治療に使う医療機関が増えています。

サプリメントも近年様変わりしました。以前サプリメント、あるいは健康食品といえば中にはいい加減なものがあり、信用できないものも少なくありませんでした。しかし近年はこれを科学的に研究し、開発する製薬メーカーが増えています。大手の製薬メーカーのサプリメントも多く、通販番組でしょっちゅう目にするくらいです。ドクターズサプリといって医療機関で医師が使うものも多くなっています。

使う医療機関も多い人気の漢方薬

漢方にも更年期障害に適したものがあります。例えば婦人科3大漢方といわれる薬は、漢方の特徴として患者の体質に合わせて処方されます。ここでは更年期障害の漢方としてよく使われるものを3つご紹介します。

▼婦人科三大漢方

加味逍遙散《かみしょうようさん》

更年期障害で最も多く使われている漢方薬です。過剰な熱を抑える働きがあるので、のぼせ、大汗、ほてりなどホットフラッシュに効果があります。イライラや抑うつなどの気分障害にも有効です。他にも冷え、不眠など幅広い症状に効果があり、バランスよく働く薬と言っていいでしょう。

当帰芍薬散《とうきしゃくやくさん》

あまり体力がなく貧血、冷え、頭痛、めまい、耳鳴りなどがある人に向いています。また疲れやすい、倦怠感などにも効果があるとされます。

桂枝茯苓丸《けいしぶくりょうがん》

比較的体力があり、肩こり、頭重、めまい、のぼせ、湿疹、皮膚炎などの症状がある人に向いています。滞った血の巡りをよくして、これらの症状を改善します。

他にも緊張しやすい人のイライラ、不眠、不安、動悸などに効く柴胡加竜骨牡蛎湯《さいこかりゅうこつぼれいとう》、体力中等度以下で疲れやすく、血色が悪い、貧血、神経症などに良い加味帰脾湯《かみきひとう》、女性のホルモンの変動によるイライラ、かゆみなどを抑える温清飲《うんせいいん》などタイプ別、症状別に色々な薬があります。

これらの漢方薬は、ホルモン補助療法ができない人も使え、総じて効き目が穏やかである点が大きな魅力です（漢方薬がすべて効き目が穏やかというわけではありません)。医療機関で処方してもらえば、ほとんどの場合健康保険が効きます。

ユニークで多彩なサプリメント。重要なのは科学的根拠と品質

近年は更年期障害によいとされるサプリメントもたくさんあるようです。植物由来の女性ホルモン、男性ホルモンに似た成分がよく用いられています。原材料としては大豆、ゴマ、イチョウ葉、ホップ、月見草、ザクロ、自然薯などの植物が中心です。成分としても大豆イソフラボン、ピクノジェノール、エクオールなど有名なものが色々あります。

これらの植物由来のサプリメントは、原産国では医薬品になっているもの、有名な精力剤であるものなど出自もユニークです。

最近は研究が進んですぐれたサプリメントが増えているように感じますが、実際に

使う場合は、品質を見極める必要があると言えるでしょう。

テレビなどで有名人が「○○のおかげで元気になりました」などと宣伝していると、なんとなく効きそうだと思ってしまいますが、あれはシナリオ通りにセリフを言っているのであって、実体験ではありません。

重要なのはきちんとした科学的根拠や実際に多くの人が使って効果を認めているかどうかです。

本書では第6章に、更年期の女性にお勧めの植物由来成分について詳しく紹介していますので、サプリメント選びの参考にして下さい。

第5章

セックスレス解消のヒント

いつ死んでもおかしくない

未曽有の長寿社会です。日本人の平均寿命は世界でもトップクラス。毎年記録を更新し男性81歳、女性87歳。もちろん過去最高の長寿です。

この数字も驚きですが、さらに平均余命というデータがあるのをご存じでしょうか。実は平均寿命は、現在の我々が何歳まで生きるかではありません。「その年に生まれたゼロ歳の赤ん坊が何歳まで生きるか」です。それなりに年を重ねた我々が何歳まで生きるかは平均余命。つまり平均余命が自分の寿命、今の自分の余命になります。

厚生労働省が発表している「簡易生命表」をみると、主な年齢ごとの平均余命がわかります。

この表で自分の年齢を見ると、何歳まで生きるか、それまであと何年あるかがわかります。例えば現在60歳の男性は（小数点以下を四捨五入すると）84歳まで生きる。それまであと24年あります。現在55歳の女性は89歳まで生きる。それまで34年あります。実際は平均寿命より長生きなのです。

主な年齢の平均余命と平均寿命（年齢＋平均余命）※

※存命者の平均寿命換算値　（単位：年）

2017年	男		女	
年齢	平均余命	平均寿命※	平均余命	平均寿命※
0	81.09	81.09	87.26	87.26
5	76.30	81.30	82.48	87.48
10	71.33	81.33	77.50	87.50
15	66.37	81.37	72.52	87.52
20	61.45	81.45	67.57	87.57
25	56.59	81.59	62.63	87.63
30	51.73	81.73	57.70	87.70
35	46.88	81.88	52.79	87.79
40	42.05	82.05	47.90	87.90
45	37.28	82.28	43.06	88.06
50	32.61	82.61	38.29	88.29
55	28.08	83.08	33.59	88.59
60	23.72	83.72	28.97	88.97
65	19.57	84.57	24.43	89.43
70	15.73	85.73	20.03	90.03
75	12.18	87.18	15.79	90.79
80	8.95	88.95	11.84	91.84
85	6.26	91.26	8.39	93.39
90	4.25	94.25	5.61	95.61
95	2.81	97.81	3.59	98.59
100	1.80	101.80	2.37	102.37

厚生労働省『平成29年簡易生命表』より

とはいえ、このデータはあくまで統計上の数字。平均値です。実際はこれよりずっと早く亡くなる人もいます。自分の周囲を見回しても、40代、50代という若さで亡くなった人がチラリホラリと思い浮かぶのではないでしょうか。

平均すると何歳まで生きるかなんて考えたところで、自分に当てはまるかどうか全くわかりません。100歳過ぎても元気かもしれないし、明日ポックリ逝くかもしれない。ことに60歳を過ぎたら、いつ死んでもおかしくないと言っていいと思います。

そう考えると誰もが60歳くらいから、ボチボチ終活を考えても早くはない。人生を振り返って、やり残したこと、やっておきたいことを整理しておく時期です。

日本人の10人にひとりは65歳までに死んでいる

世界でも有数の長寿国・日本。けれども日本人がが不老不死なわけではありません。いずれ誰もが死を迎えます。それも一斉に亡くなるのではなく、ポツリ、ポツリといなくなる。これがたまらなくさみしいものです。

長寿と言われる日本でも、若くして亡くなる人はたくさんいます。「60歳を過ぎたらいつ死んでもおかしくない」と述べましたが、統計で見ても65歳までに日本人の10人にひとりは亡くなっています。

そんなはずはないと思うでしょうか。

厚生労働省の簡易生命表から、ある年齢での死亡率や生存率などがわかるのですが、それで言えば65歳男性の死亡率は1・2%ぐらいです。

なんだ1・2%か、100人にひとりじゃないか、おどかすな、と思うかもしれません。60歳での死亡率は0・7%とさらに少ない。55歳での死亡率はグンと下がり0・2%。50歳では…、とさかのぼって合算していくと、それぞれは小さい確率でも65歳までの死亡率は10%を超えるのです。

10人に1人ということは、65歳になれば知人、友人、親戚の何人かは既に亡くなっているかもしれません。実際に周囲はそんな感じではないでしょうか。

何歳であっても、知っている人が亡くなるのはショックなものですが、20代、30代で感じるショックとシニアになって感じるそれは全く違います。シニアで感じるのは誰かを失うつらさに加え「明日は我が身かも」という恐れです。

そうして結婚している人は思うのです。もし妻が、夫が、ある日突然死んでしまったら……と。

パートナーを失う前に

縁起でもない話を続けます。何が言いたいか、おわかりいただけると思います。繰り返しますが、「60歳を過ぎたらいつ死んでもおかしくない」。これは真実です。50歳でも40歳でも同じです。それは自分だけではなく、パートナーも同じだということです。

配偶者との死別は言葉にできないほどの喪失感があるようです。特に男性は妻に先立たれると絶望し、なかなか立ち直れません。そのくらい男性は奥さんを愛し、信頼し「彼女がいないと生きていけない」と思っています。

ジャーナリストの田原総一郎さんは、二度配偶者に先立たれています。また同じくジャーナリストの猪瀬直樹さんも配偶者に先立たれ、今は画家の蜷川由紀さんと再婚しています。この二人が、『シルバーセックス論』(田原総一朗著　宝島社刊)で、ひとり残された時の悲しみを語っています。

田原さんは、何もかも任せていた妻に先立たれ、自分の体が半分なくなるほどショックを受けて、「もう死ぬしかない」とまで思ったと語り、猪瀬さんは「半身を引き裂かれたような気持ち」と語っています。ちなみに田原さんは、奥さんとは対等に何でも話し、議論するのが大好きだったので、家政婦を雇い、彼女には家事はさせなかったそうです。

さてこの二人の有名なジャーナリストでさえそうであるように、男性はみな、妻が自分より先に死ぬとは思っていません。自分がひとり残ることなど考えもしない。だから妻が先に逝ってしまうと、どうしていいのかわからない。

確かに女性の方が平均的には長生きといっても、全員がそういうわけではありません。

いずれにしても、いつかどちらかが先に亡くなり、もうひとりが後に残ります。その時の喪失感、孤独感。それから後悔はまさに先立たず、です。

パートナーを失う前に、二人一緒にいられるうちに愛情を確かめ合い、できることをやっておいた方がいいのではないか、と思います。それが後々「いい人生だった」と自分の人生を肯定することにつながるのではないでしょうか。

男性71歳、女性74歳。健康寿命を共に生きる

平均寿命、平均余命について述べましたので、今一番重要視されている健康寿命について考えてみましょう。

健康寿命とは、２０００年にＷＨＯ（世界保健機関）が提唱したもので、「日常的・

平均寿命と健康寿命の差（平成28年）

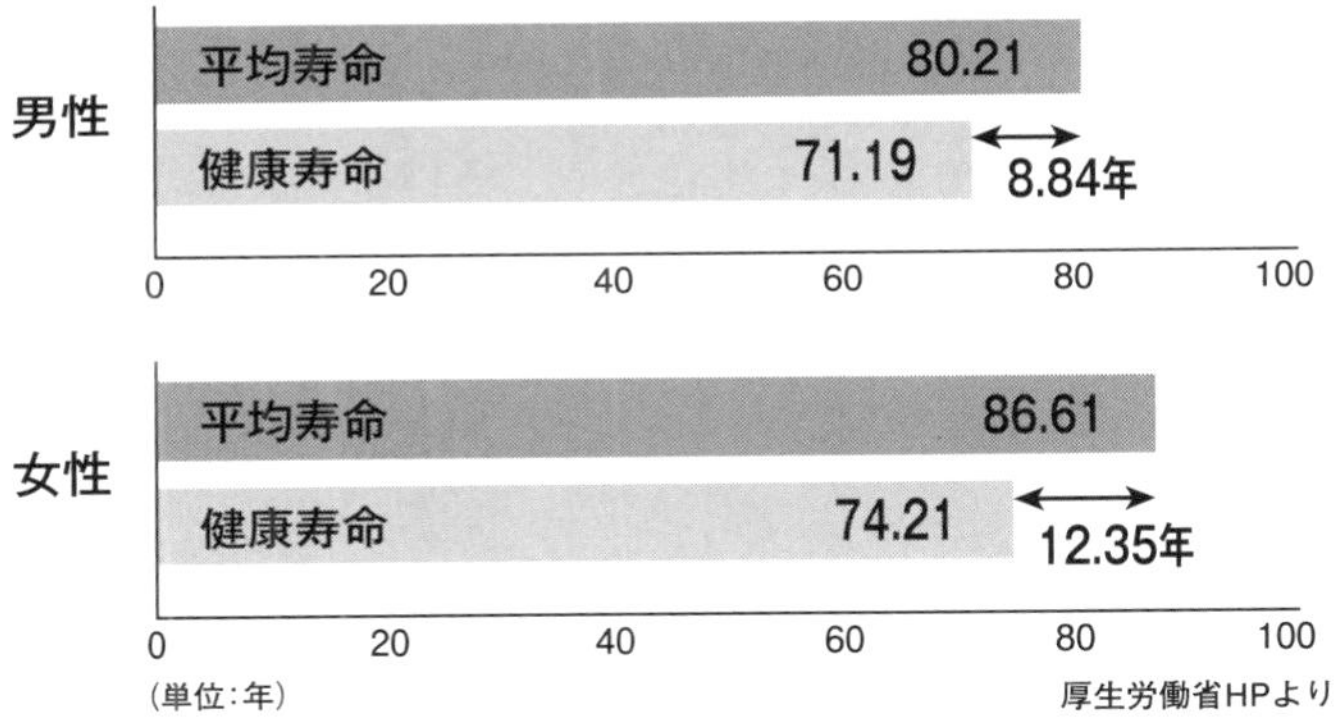

継続的医療・介護に依存しないで、自分の心身で生命を維持し、自立した生活ができる生存期間」を表します。

病気で体が不自由になったり、寝たきりや認知症になったりしたら、自立した生活はできません。自由に買い物に行ったり旅行をしたり、趣味や社会活動を楽しむ。そんな自立した生活をするには、何より大切なのは健康です。

そこで今日の日本人の健康寿命は何歳かというと、男性が約71歳、女性は74歳。意外に早いと思わないでしょうか。悲しいことに平均寿命よりは10年ほど短いのです。

できれば生涯、健康で自立した生活を送りたい。どこでも行きたいところに自由にでかけ、好きなことをして暮らしたい。それがすべての人の願い。そのためにはパートナーとの関係がとても重要になってきます。

シニア男性の健康にとってのセックス

第3章、第4章でも少し述べましたが、シニアにとってセックスは心身にとって健康効果が高い行為です。特に男性にとっては、セックスが生活習慣病の予防になるという研究報告があります。

米マサチューセッツ州のニューイングランド研究所が行った研究で、1000人以上の同州在住の男性のセックスの回数を16年間に渡って調査したところ、週に2回以上セックスする男性は、セックスが月に1回未満の男性よりも重い心臓疾患の罹患率が低いという結果が出ました。これはセックスが、心身両面によい効果をもたらしているためと考えられています。

本書の第3章では、ＥＤの背景に動脈硬化など血管系の問題がある可能性があると述べましたが、セックスがスムーズにできるということは血管の状態が良好であるという証拠でもあります。

また継続的にセックスをしている男性は、前立腺がんになりにくいこともよく知られています。これはセックスというよりも射精の効果です。

第3章でも述べましたが、前立腺は精液の一部を作っている臓器で、セックスやマスターベーションで射精する時精子を運び、女性の膣内では精子を守る働きをしています。もし射精がなければ前立腺の働きは停滞し、血流も悪くなります。定期的に射精することは前立腺の健康な活動を維持するので、前立腺がんはもちろん前立腺肥大にとっても予防効果が高いとされています。

従ってセックスをしないのであれば、マスターベーションはした方がよいとされます。仮にセックスの相手がいるとしても、いつでもひとりで気軽にできるマスターベーションはお勧めです。

免疫力を高め感染症を防ぐ。尿失禁を防ぐ

継続的にセックスすることは、免疫力を高め風邪やインフルエンザにかかりにくくなるとされています。米ペンシルベニア州のウィルクス大学で112人の大学院生を対象にした調査でも、週に1~2回セックスをしている人は、唾液中の免疫抗体が増え、インフルエンザにかかりにくい傾向があることがわかりました。

女性にとっては次のようなメリットもあります。セックスの際は女性も腰や膣の周辺などの下半身を使いますが、特に骨盤底筋を使って膣を閉めたり緩めたりすると、尿失禁を予防・改善する効果があります。

出産後の女性のリハビリに行うトレーニングにケーゲル体操がありますが、これは緩んだ骨盤底筋を鍛えて尿失禁を予防・改善することを目的としています。セックスも骨盤底筋を使うので、意識して継続して行うことで同じ効果が得られるというわけです。

「年を取ったらセックスレス」は間違い

日本では、シニアだけでなく若い世代でもセックスをしない人が増えています。20代でさえセックスレスなのですから、年齢が高くなればなるほどセックスなんてしないのは当たり前、という感じではないでしょうか。しかしそれは世界標準では間違いです。

第2章でも紹介したように、海外には1年に100回〜はセックスするという国がいくつもあります。特にヨーロッパの国々は積極的で、年を取っても継続してセックスするのが当たり前という国が少なくありません。

ヨーロッパの中でも北欧、「フリーセックス」という言葉で知られるスウェーデンでは、年を取ってもセックスするのは当たり前。セックスは愛し合うもの同士が愛を確かめ合い、楽しく満たされた時間を共有する行為です。生活の一部であり、健康を維持するためになくてはならないもの。従って年を取っても必要であり、大切なルーティンワークととらえているようです。

またスウェーデンでは、幼い頃からしっかりした性教育を受けて成長することから、セックスに対してとても肯定的だと言います。性的なものをタブー視したり、ちゃかしたりする日本とは違い、愛とセックスが不可分なのです。誰もが年を取ってもセックスするのが当たり前だと考えていれば、セックスレスにはならないでしょう。

日本人も、セックスに対してもっと肯定的であった方がいい。セックスを真面目に考えた方がいい。そうすれば何歳になっても、抵抗なくセックスが続けられるのではないでしょうか。

セックスレス解消のヒント

本書を読んでいる方は、セックスレスを解消したいと考えている方だと思います。少なくとも「パートナーと別れたい」「熟年離婚を考え中」の人ではないでしょう。パートナーとの関係をよりよいものにしたい、幸せな時間をより多く持ちたいと考えている人だと思います。

そこでブランクのある人も含めて、よりよいセックスのためのヒントをご紹介します。

◉コミュニケーションを大切にする

『裸のサル』などの著作で知られるイギリスの動物行動学者デズモンド・モリスは、動物の求愛行動に関して面白い研究報告をしています。それは、「動物が異性と親しくなってセックスに至るまでには、12の段階がある」というもの。これは様々な動物にあてはまり、人間も例外ではないと言います。

求愛の12段階

1、目を体に…気になる異性を目で追う。見つめてしまう。
2、目を目に…目が合う。お互いに気になって目と目で見つめあってしまう。
3、声を声に…声をかけ会話が始まる。
4、手を手に…手をつなぐ。
5、腕を肩に…腕を肩に回して肩を抱く。
6、腕を腰に…腕を腰に回す。腰を抱く。
7、口を口に…キスする。
8、手を頭に…髪に触れる。頭をなでる。
9、手を体に…体を触れあう。
10、口を胸に…胸にキスする。
11、手を生殖器に…性器に触れあう。
12、性器を性器に…挿入する。セックスに至る。

求愛の12段階

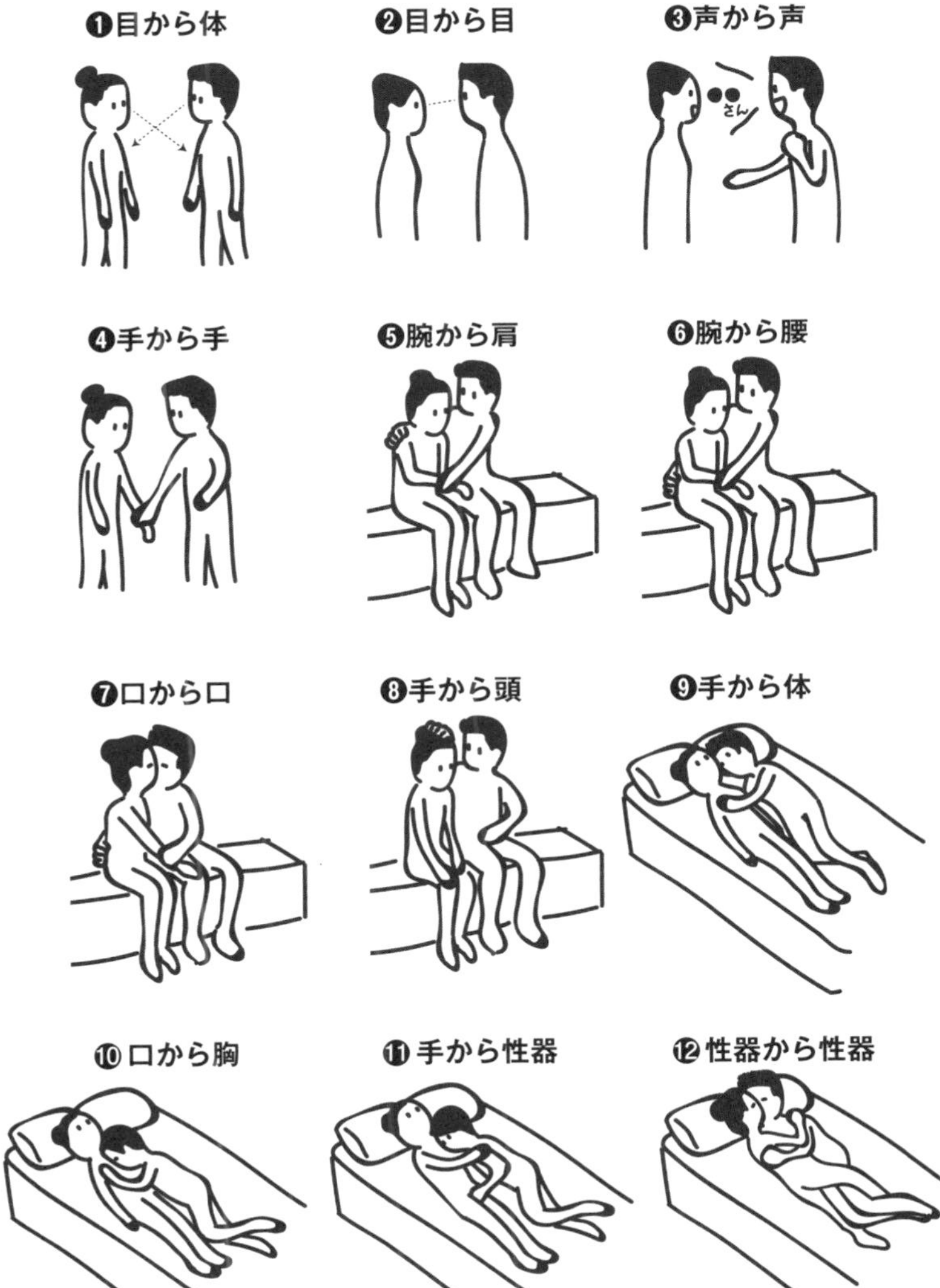

❶目から体
❷目から目
❸声から声
●●さん
❹手から手
❺腕から肩
❻腕から腰
❼口から口
❽手から頭
❾手から体
❿口から胸
⓫手から性器
⓬性器から性器

モリス博士の理論通りに並べてみましたが、あらためて順を追ってみると、次第に親密度が増していくのがわかります。1から3までは互いに好意を感じながら、まだ接触はしていない段階。4から8までは、どれが先でもおかしくはありません。このどこかで愛の告白となりそうです。そしてお互いに好きであることが合意できたら、9～12がセックス。というところです。

なぜ動物行動学者のモリス博士がこうした段階を考えたのかというと、つきあってもすぐ別れるカップルと長続きするカップルの違いを理論化したかったからと言われています。こうした長いプロセスを丁寧に積み上げるかどうかで、カップルの将来がわかります。出会ってすぐセックスするようなカップルは別れるのも早い。ゆっくり段階を経てセックスに至るカップルは長続きする、ということです。

◉丁寧に段階を経ることの大切さ

さて、前述のデズモンド・モリスの「求愛の12段階」は、つきあいはじめのカップルの話なので、シニア、あるいは長くつきあっているカップルには関係ない、と思いがちですが、意外に重要なポイントを示唆しています。

それは関係が長いカップルであっても段階を踏むことが大切であり、コミュニケーションが大切だということ。お互いをよく見て、顔色や表情、動作を見て体調や気分がどうであるか、ちゃんとわかっているかどうかです。

なんだかイライラしているとか、疲れているとか、うれしそうだなとか、きちんと目で確かめること。そうしたらそれを言葉にします。

「疲れてる？　顔色あんまりよくないね。ちゃんと眠れてる？」

「うれしそうだね。いいことあった？」

そんなささいな会話が結構効果的です。言葉にすると、こちらの表情もそうなります。「疲れている？」と聞いたら心配そうな顔になり、「うれしそうだね」ならこちらも微笑んでしまうでしょう。言葉に表情がついてくる。心配してくれるんだな、私がうれしいと喜んでくれるんだな。「目で見る」という行為は、気持ちを伝えあうコミュニケーションのきっかけです。

声と声のコミュニケーションは、触れ合うこと、つまり体と体のコミュニケーション(スキンシップ)のきっかけになります。

「疲れてる?」と声をかけたら、額や頬に手を当て、両頬を両手で挟んで顔を近づけてもいいでしょう。あくまで顔色を見る、熱がないか診るような動作です。

ふだん全くスキンシップをとらないシニアのカップルも、体調を知るためには相手の体に触れた方がわかりやすい。性的なニュアンスはいらないので物理的な距離を縮めていくことが大事です。

◉手をつなぐ　腕を組んで歩く

日本のシニアは、人前ではなかなか手をつないで歩いたりしない。一昔前まではそれが当たり前だったと思います。どうかすると男が前、女が後ろ。女は三歩下がって…という感じだったかもしれません。

けれども最近は、手をつないだり腕を組んで歩くシニアのカップルが増えています。

買い物や散歩、旅行などの時になにげなく腕を組む、手をつなぐ。特に人混みを歩く時は、その方がはぐれたりせず安心です。

男性の方がテレくさくて自分からはしようとしないなら、ぜひ女性から腕を組み、手をつないでみてください。もっと年を取ってどちらか足腰が弱くなったら、その方が歩きやすいものです。

そういえば最近、上皇ご夫妻もいつも腕を組んでおられます。ぴったりと寄り添って歩いているお姿を、ＴＶなどでよく見ます。

やはりお二人とも年を取り、健康不安もあります。腕を組んだ方が、万一どちらかが何かにつまづいてももうおひとりが支えられます。そうした心配もあるのでしょうが、本当に仲がよくなければ、あんな風にはふるまえないでしょう。多くの日本人がお二人の姿を見て温かい気持ちになり、年を取ったらあんな風になりたいと感じているのではないでしょうか。

長い間手をつないだり、腕を組んだりしたことがないというカップルも、何かの機会に腕を組み、手を握って歩いてみるといいと思います。若い頃はこうやって手をつなどとドキドキしたなあ、なんていう思い出がよみがえるかもしれません。

●同衾する

『中高年のための性生活の知恵』の執筆者のひとりであり日本性科学会セクシュアリティ研究会代表の荒木乳根子《あらきちねこ》氏は、セックスレスのシニアカップルに「同衾のすすめ」をしておられます。

「同衾《どうきん》」とは少し古い言葉ですが、ベッドやふとんなど同じ寝具に一緒に寝ること。多くは男女が一緒に、という意味なので性的なニュアンスもあります。

最近は、夫婦別床が増え、夫婦別室というカップルも多くなりましたが、それではセックスレスが固定化してしまいます。できれば同じベッドやふとんで一緒に寝て、セックスしなくても寄り添って寝てはどうでしょう。腕枕をしてみたり、手をつないだり。一緒にふとんにくるまるのもいいでしょう。

寄り添っているとお互いの体温を感じます。息遣いや心臓の鼓動も伝わります。それだけ近づくと、ふだん感じている不満や疑問も融解して寛大な気持ちになります。そこでしっかり抱き合えたらもっといい。

繰り返しますがセックスしなくてもいいのです。もちろんその気になったらしてもいいのですが、大切なのは二人きりのゆったりしたスキンシップです。

◉一緒にお風呂に入る

セックスレスのカップルにとって、一緒にお風呂に入るなんて、ちょっとハードルが高いかもしれません。ただ裸になってお互いの裸を見ると、若い頃とは違う色々な変化がわかります。

年を取ればお腹も出てくるし、おっぱいも垂れてきます。髪の毛も薄くなり、あるいは白くなり、肌も若い頃のはじけるような質感はなくなります。それでも長い年月を一緒に生きてきた異性の裸には、若い頃にはなかった味わいがあります。ヴィンテージものの魅力とでもいうのでしょうか。

『マジソン群の橋』というシニアの男女が主人公の恋愛映画（1995年、アメリカ映画）があります。世界的に大ヒットした同名小説の映画化作品です。

主演女優のメリル・ストリープは、ハリウッド女優にあるまじき田舎のおばさん体型で登場し、不倫の恋に身を焦がすシニア女性を演じています。相手役のクリント・イーストウッドも薄くなったボサボサ頭にシワシワの顔で、メリルおばさんに夢中になります。

おじさんとおばさんの恋は、若者のそれよりもっと戸惑いがちで滑稽で、観ていると途中で何度か笑ってしまうのですが、それでもとても素敵です。

入浴シーンもあります。二人はバスタブで身を寄せ合って、ただじっとお湯につかっているだけです。短いシーンですが、二人がリラックスしきっている様子が伝わってきます。それ以前の緊張した関係ではなく、身も心も許しあった関係であることが伝わってきます。

映画と現実は違うでしょうが、パートナーと一緒にお風呂に入るのは、二人でゆったりリラックスすることや、お互いの素肌に触れるよい機会です。セックスとはまた違った、しみじみとしたよい時間になると思います。

背中を流したり、濡れた体や髪を拭いてあげたりしていると皮膚の状態がよくわかります。ホクロやシミ、体のゆがみ。自分では見えない背中や後頭部などをチェックし合うのも大切なことです。

一緒にお風呂といっても、実はあまりセクシュアルではありません。でもとても大切なスキンシップです。

◉マッサージやストレッチ

セックスレスであっても、肩や腰をマッサージしたり、ストレッチを一緒にするというカップルは少なくないようです。

日本性科学会セクシュアリティ研究会が行った調査では、キスやハグなどのスキンシップをするカップルは少なめである一方、マッサージや指圧をするカップルは調査対象の4割という比率でした。半数近くがこうしたケアをしているところをみると、セックスレスであっても、愛情もありスキンシップもＯＫなカップルが多いのではないでしょうか。

一日の終わりにこっている肩や腰をマッサージする、痛みのある箇所をさするといったケアは、愛情のある者同士でなければできないものです。またマッサージはひとりではできないので、パートナーがいてくれる嬉しさや安心感、癒し効果も非常に高いと言えるでしょう。

お風呂上りであれば、背中など本人の手が届かないところに保湿ローションを塗ってあげたり、髪や頭皮のマッサージ、ブラッシングなどもできます。

マッサージは、肌が密着するスキンシップなので、セックスレスカップルにとって最良の関係改善ステップになります。

例えば肩をマッサージした後で体を背中にくっつけてみたり、後ろからハグしてみるなど、より親密なスキンシップが自然にできます。もちろんマッサージついでに、男性が女性のおっぱいやおしりにさわってみたり、逆に女性が男性の感じるところにタッチするのもいいでしょう。

２２０ページにお勧めのマッサージが載っているので参考にしてください。

二人でするストレッチもお勧めです。最近はストレッチが人気で、テレビでもよく紹介しています。

二人でストレッチをする場合は、ひとりではなかなか伸ばせない体側《たいそく》や腕、腰、足などを、パートナーの力を借りて伸ばします。ＹＯＵＴＵＢＥなどの動画サイトに、カップル向けのお手本動画がたくさんアップされているので、検索して参考にしてみてはいかがでしょう。

◉セカンド・ハネムーン。本当の二人きり

シニア世代になると多くは子どもも独立し、二人だけの生活が始まります。そのタイミングでのカップル旅行を、最近はセカンド・ハネムーンというそうです。結婚◯周年、あるいは銀婚式などを記念して、二人でゆったりとした旅に出るのもいいでしょう。

家でも二人暮らしかもしれませんが、子どもが来たりご近所づきあいなどもあると、本当に二人きりというわけにはいきません。旅行に出かけてしまえばじゃまをする人もなく、ゆったり、かつ非日常的な時間を過ごすことができます。

行先は二人が行きたいところで、1つのホテルにずっと逗留する滞在型の旅行がいいでしょう。旅行会社の企画商品のセカンド・ハネムーン旅行も、そうしたパックになっているようです。

二人でもう一度、ハネムーンの時のような気持ちになれれば一番いいでしょうが、そうでなくても、若い頃のお互いのことを語り合うのもいいと思います。つきあいはじめた頃、結婚を決めた当時のことなどの話をすれば、懐かしくも新鮮な気持ちになれそうです。

旅行先ではお互い仕事や家事などの日常から解放され、ずっと一緒にいられます。会話やスキンシップをより密なものにすることができます。その勢いで、セックスできるということもあるでしょう。

郵便はがき

料金受取人払郵便

神田局承認

7469

差出有効期間
2021年
8月31日まで

切手不要

101-8796

528

東京都千代田区神田
東松下町28番地 エクセル神田6階

□資料送付希望（トンカットアリ+ムクナ含有健康補助食品）

□資料送付希望（プエラリア・ミリフィカ+マカ含有健康補助食品）

ふりがな 氏名	男・女	年齢 歳

〒　　　－

住所

電話番号　　　－　　　－

これは男性へのアドバイスですが、アダルトビデオ＝ＡＶなどで行われている過激で極端なセックスを、「女性が喜びそう」などと思わないように、また実際にやってみようなどとは思わないようにお願いします。本当に試したら確実に女性がドン引きし、軽蔑されかねません。

ＡＶは基本的に男性を対象にしたビジネスなので、男性が興奮してマスターベーションしやすいように作ってあります。現実のセックスではなく、男性の妄想を実写化したものです。ＡＶ女優さんは、どんなシチュエーションでも喜んで感じてイク演技をするのが仕事です。本当にそれで女性が感じるかどうかは、あまり関係ないのです。

◉女性にＡＶのセックスを試さない

世の中には、ＡＶを参考にして「こうすれば女性は喜ぶ」と真似する男性もいて、大失敗しているようです。経験の少ない若い男性ならまだしも、シニアが同じことをやってはいけません。セックスレスの解消どころか、二人の関係にひびを入れてしまいます。

ただ最近は、作家の岩井志麻子さんらが制作に関わり、「女性が感じるＡＶ」も作られるようになってきました。もし男性が、女性が喜びそうなセックスを知りたいのであれば、そうした作品を参考にしてみてはいかがでしょうか。

ＡＶに罪があるわけではなく、マスターベーションも悪いことではありません。射精の健康効果については既に述べた通りなので、男性個人が行うのはむしろお勧めです。ＡＶは手軽で充分なアシストになっているのでしょう。

ただ用途としてＡＶは実際のセックスの参考にならないことは、ご理解いただきたいと思います。

◉妻だけＥＤ？　解消法

結婚生活が長くなると、あるいは妊娠・出産・育児で生活が子ども中心になると、どうしてもセックスが縁遠くなるカップルが多くなります。まだ若くて性欲も旺盛な男性は、妻が子育てで忙しい間、つい浮気に走ったりフーゾクで処理してしまう、というパターンもありそうです。そうなるとますます妻に性欲を感じなくなり、妻とだけセックスできないという事態になることもあります。いわゆる「妻だけＥＤ」です。

30代、40代であれば「妻を女として見れない」と言い、女性は「ワンオペ育児で苦労してきたのに、女として見れないとか勝手なことを」と怒る。はたから見ればちょっとした夫婦喧嘩ですが、「妻だけＥＤ」が原因で二人の関係がギスギスしてしまい、愛情も信頼もこわれて離婚に至るケースもあるようです。

若いカップルの場合、「何がセックスの妨げになっているか」「なぜ性欲がわかないか」を明らかにして、それを具体的に解決することもできるでしょう。たとえば妻が家庭ですっかり母親になってしまい、セックスの対象にならないという人がいます。その場合、家ではセックスは難しいかもしれないので、ホテルに行ったり旅行に行ったりと、環境を変えて試みるという方法はいかがでしょう。

シニアのカップルの場合、セックスに対する考え方を少し変えて、挿入や射精にこだわらない密度の濃いスキンシップをとるのがいいかもしれません。多くの専門家も、日頃のコミュニケーションやスキンシップの重要性を説いています。

「妻だけＥＤ」の原因は簡単に言ってしまうと、男性が女性のパートナーに性欲が湧かないということ。けれども性欲はいつ湧いてもいい。見ていて視覚的には湧かない性欲も、ベッドの中で触れ合っていると湧くかもしれません。

◉幸福感、満足感のあるスキンシップを

「妻だけＥＤ」に限らず、セックスレスを解決するには、前提として二人が愛し合っていて、二人とも、あるいはどちらかが再びセックスしたいと願っていることが基本です。その上で、本章で述べてきた「手をつなぐ」「同衾する」「マッサージやストレッチ」などを試していただければと思います。

たとえば常に挨拶としてのハグや軽いキスをする、（家の中でも）手をつないでいる、同じベッドで寝る、お互いの体に触れあうなど。特に体を密着させてハグ、抱き合うと、いわゆるオキシトシンが分泌されるのか、リラックスしてとてもいい気持ちになりま

す。そうした日常的なスキンシップを積み重ねることで、パートナーに対する気持ちがだんだん熱を持つようになると思います。

寝る時も、セックスしよう、セックスしなきゃ、というのではなく、ベッドの中で気持ちのよいスキンシップをとる。互いの体に触れて、抱きしめる。これだけで幸福感、満足感は充分に得られるのではないでしょうか。

それで眠ってしまってもいいし、さらに進んで頬や髪を撫でたり、お互いに感じるところを探り合ったり、気持ちのよいセクシュアルなスキンシップは無限にあります。そのうち勃起して挿入できればそれでOKです。挿入なしでも女性が満足するセックスは可能です。

◉セックス・カウンセリングを受ける

セックスに関して悩みがあっても、大抵の人は専門家に相談しようと思わないかもしれません。恥ずかしいし、セックス・カウンセリングなどという言葉におじけづいてしまうのではないでしょうか。

けれどもセックスに関する悩みは、なかなか一般の人に相談できないのも事実です。特にシニア世代は、親しい友人でも難しい。ましてセックスレスなどという話題は持ち出しにくいものです。

そうした場合は、ひとりで、あるいは二人で悶々とせず、セックス・カウンセリングを受けてみてはどうかと思います。

セックスに関する学問には歴史があり、今日も科学的な研究が盛んに行われています。日本にもこの分野のスペシャリストがいて、各地でセックスに関する相談に乗ってくれています。カウンセラーとしての専門的な勉強をした人は決して多くありませんが、相談にのってくれる窓口があります。本書の２８０ページに一覧がありますので、相談したい人は検討してみてください。

一般的に、我々がセックスというテーマで真剣に話をする機会はあまりなく、話すとすれば冗談か猥談か、という不真面目なパターンになりがちです。

また日本では性教育がきちんと行われておらず、ほとんどの人が手探りで得た知識しか持っていません。セックスに関する情報は膨大にあっても、正しくかつ充分な知識は持っていない人がほとんどだと思います。ましてパートナーとうまくいかなくなった時、どうすればいいかについては、誰もきちんとした答えが出せないのです。そんな時は、やはり専門家が頼りになります。

◉医学治療以外の方法

シニアのカップルが、再び互いを求めセックスのある関係を築くためには、ここまで提案したヒントだけでなく、体の中に性的なエネルギーがあればさらにいいことは言うまでもありません。

若い時には、抑えきれないほどあった性欲、毎日でもセックスできそうなパワー。男性の中には、ムラムラを抑えるのが大変だったという人もいるのではないでしょうか。

しかし、そうしたエネルギーは、年齢と共に低下していきます。もちろん更年期を過ぎても性欲はあるのですが、20代の頃と同じくらいエネルギッシュというわけにはいかないと思います。

性欲の源は、男性ホルモンや女性ホルモンなどの性ホルモンです。これがピークなのが20代で、その後は少しずつ低下していきます。第3章、第4章では男性、女性両方のホルモン低下に伴う様々な不調と性欲の低下を、医学的治療で改善する方法をご紹介しました。今日、男性、女性共にホルモン補充療法が行われるようになり、体調の回復と共に低下した性欲が回復する人が増えています。またＥＤ治療薬の成果は、革命的といっても過言ではありません。

ただホルモン補充療法は、すべての人に可能ではありません。中には使ってはいけない人もいますし、医師の監督下で使わなければならない人もいます。ＥＤ治療薬も同様です。

また医学治療には、わずかであっても副作用があります。人によっては「あれがいやでホルモン補充療法は続けられなかった」という人、あるいは、そうした薬は使いたくない、あるいは頼りたくない、という人もいます。

そこで次章では、民間療法などで使われている生薬の成分で性的なエネルギーを高めるものをいくつかご紹介して、セックスレス解消のヒントとして提案してみたいと思います。

愛とリラックス　4つのマッサージ

1日の疲れをいやし、肩や腰のコリをほぐすマッサージやストレッチは、リラックス効果抜群です。リラックスはセクシーな気分にとって欠かせないステップです。ここで紹介する4つのマッサージで心と体をほぐしましょう。

行う場所と時間は、できれば寝室のベッドやお布団の上で。パジャマや部屋着でもいいですし、お風呂上りのより薄着の状態でもいいでしょう。お部屋の灯りは控えめにして、アロマを焚いたり、静かな音楽をかけるなどすると効果的です。

マッサージは、男性、女性、どちらが施術する側でもされる側でも大丈夫です。

①骨盤ゆらゆらほぐし

女性（男性）がうつぶせになり、男性（女性）が腰の横に座ります。女性（男性）のお尻の上と下に男性（女性）が両手を置き、ゆっくり、ゆらゆらとゆらします。少し力を入れたり、スピードを上げたりとバリエーションをつけます。骨盤周りのコリをほぐし、血流をよくし、心地よい揺れでリラックスさせます。

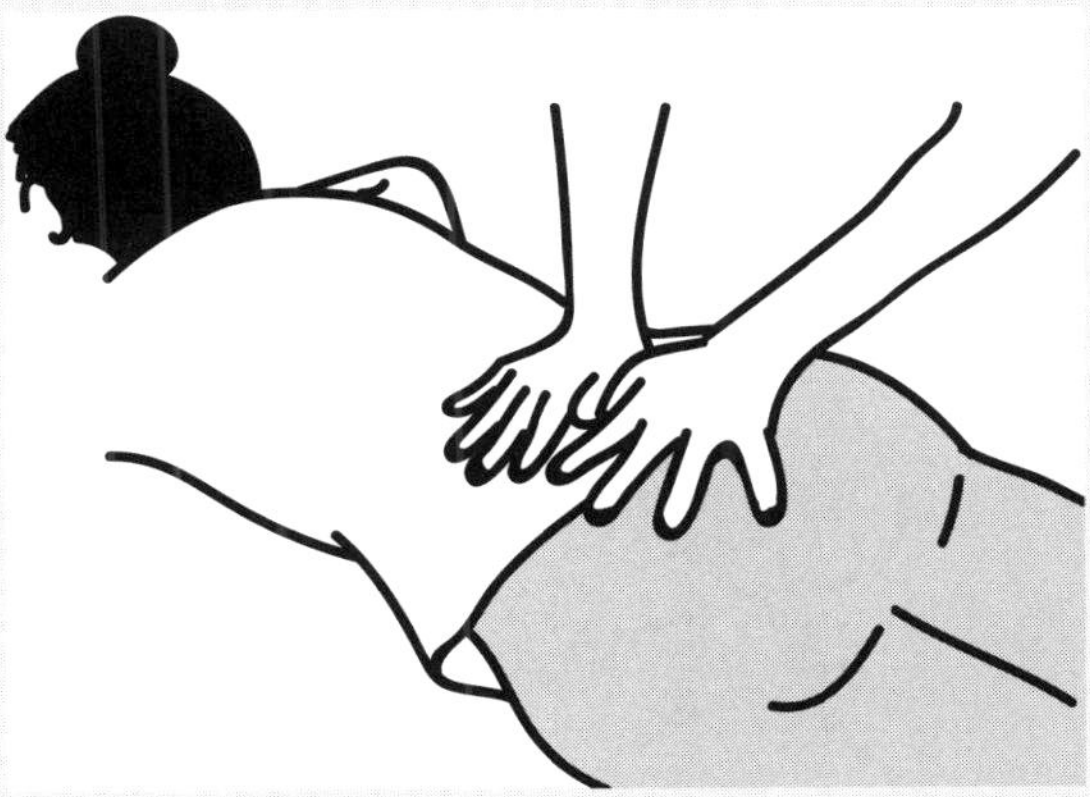

② お尻もみもみほぐし

女性（男性）がうつぶせになり、男性（女性）が太股の上あたりに座ります。両手をお尻の上に置き、上下に、あるいは円を描くようにゆっくりもみほぐします。相手の重さを感じながら性感帯でもあるお尻をマッサージされると、ちょっとセクシーな気分に。

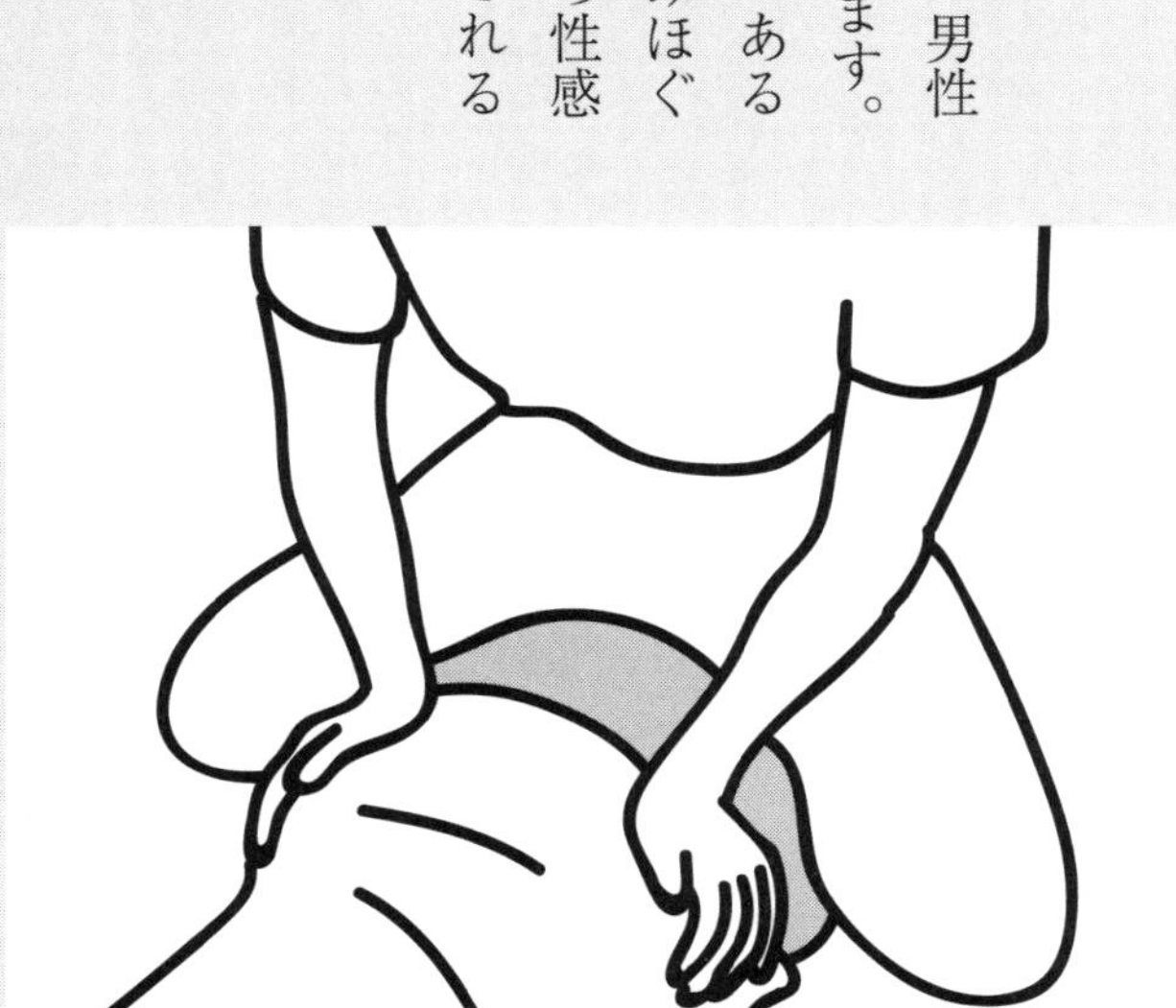

③頭・首・肩のなでなでもみもみ

男性（女性）があぐらをかいて座り、女性（男性）が後ろに立ち膝になります。後ろになった方が両手指で頭、首、肩の順に包み込むようにマッサージします。指先を使って頭皮や耳の下などをじっくりもみほぐします。髪の毛を触られると感じる、という女性は多いようですが、実は男性もかなり気持ちがよいようです。

頭、耳の周囲、うなじ、首の両側、肩とだんだん下へ降りながらマッサージを続けます。うなじや耳の下はリンパ腺があるので、上から下へゆっくりともみ下ろしてあげます。

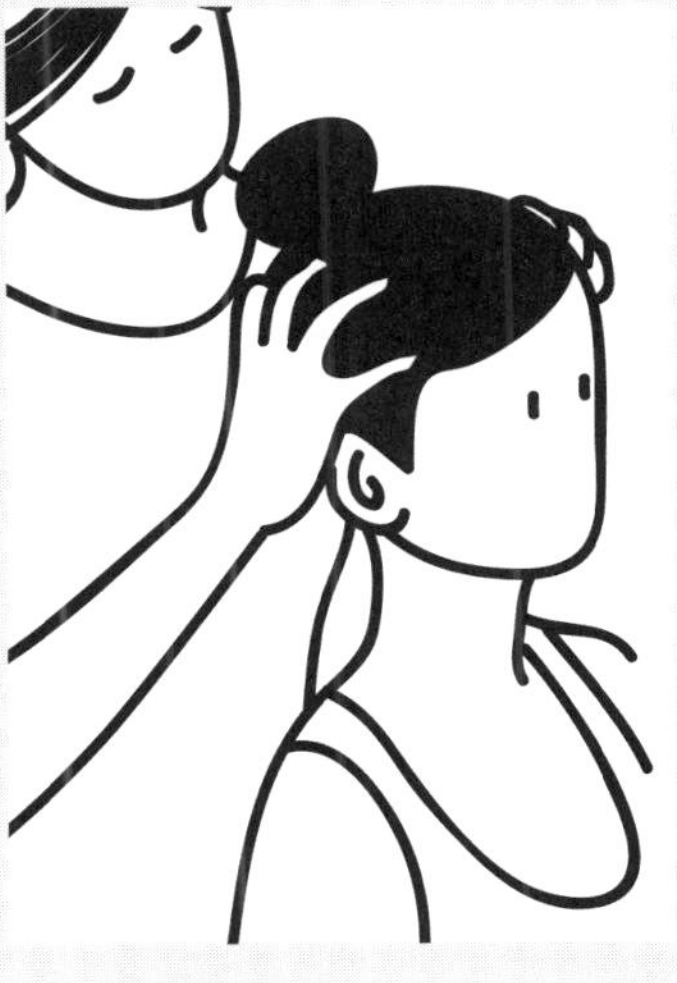

④股関節のゆるゆるストレッチ

男性（女性）は床に仰向けに寝ます。女性（男性）は男性（女性）の右足の股関節と膝を直角に曲げて左脚の外側に倒します。この時、肩が浮かないよう男性（女性）は相手の肩をやさしく抑えながら行います。気持ちよく伸びた状態で10秒キープ。反対も同じように繰り返します。左右交互に1回ずつを5セット行います。

セクシーな体勢ですが、静かにゆっくり行うことでセクシーになり過ぎず、リラックスすることが大切です。

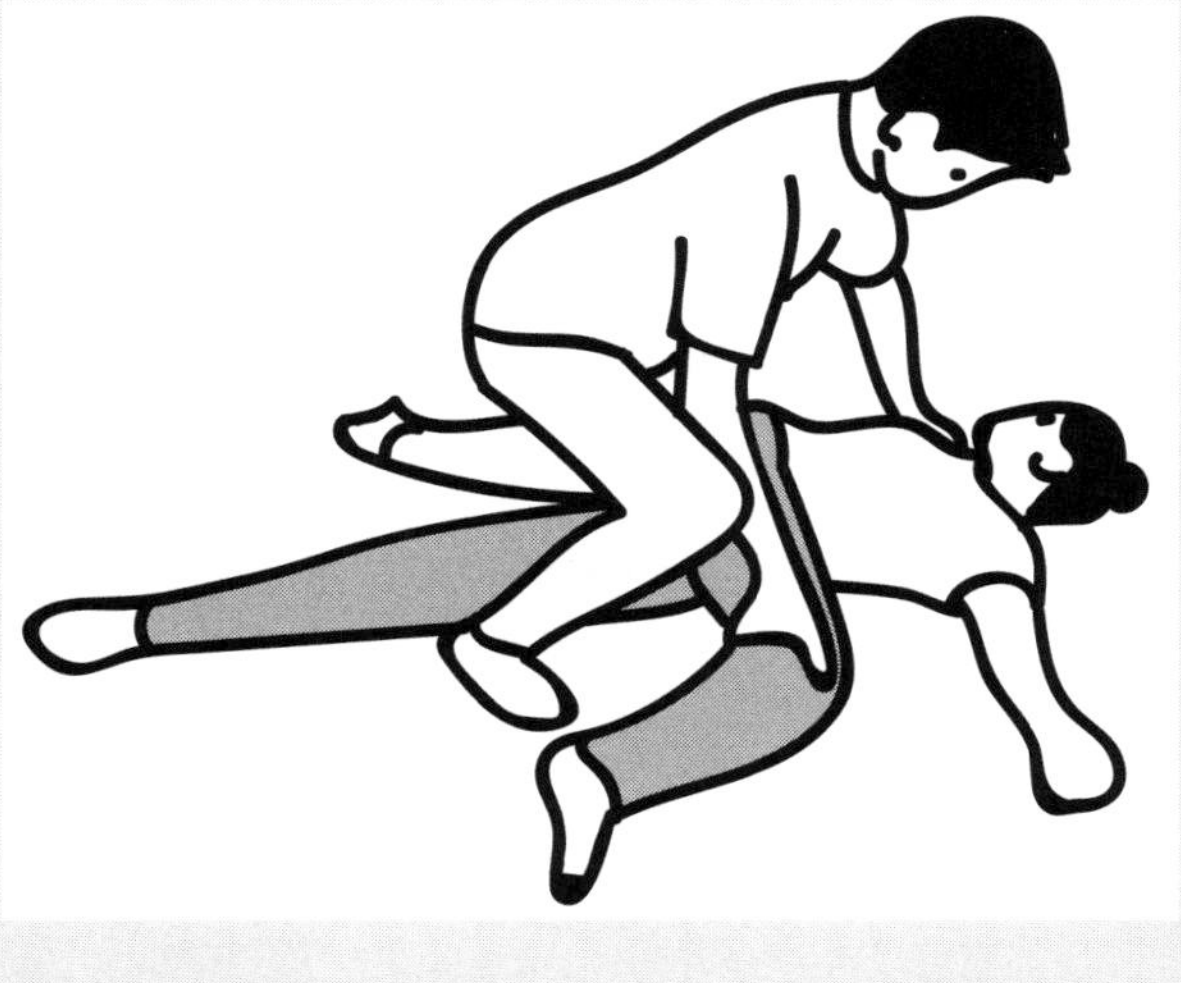

第6章

植物由来の性ホルモン様物質の有用性

セックスレスを解消するためには、性欲があって、心身ともにセックスがスムーズに行える状態が理想的です。それにはいくつかのアプローチがあります。たとえば本書の第3章、第4章でご紹介したようなホルモン補充療法やED治療薬を使う方法。医療機関できちんと検査を受けて行う方法は、安心で安全、そして確実です。

ただセックスレスはデリケートな問題なので、医学的治療にはちょっと抵抗がある、なるべく薬には頼りたくない、あまり薬は飲みたくないという人もいます。

そうした場合には、植物由来のホルモン様物質をサプリメントとして試してみる方法も選択肢としてありだと思います。

世界各地には、古くから精力剤、強壮剤などとして伝わる民間薬、生薬がたくさんあります。それを現代の科学で研究分析してみると、ホルモン様物質、つまり性ホルモンと同様の働きをもっているものがあるのです。

本章ではそうした植物由来のホルモン様物質の中から、科学的にきちんと検証が行われているもの、医師も使ってよい結果をあげているものをご紹介したいと思います。男性用、女性用それぞれあるので、ぜひ参考にしてください。

また第5章でご紹介したように、コミュニケーションとスキンシップを積み重ね、少しずつセクシュアルな要素を増やしていく方法は、どのような治療法とも併用できますし、最も試みていただきたい方法です。

植物由来の男性ホルモン様物質とは

◉トンカットアリ

「戦士の杖」の名前を持つマレーシアの伝承薬トンカットアリ

トンカットアリという物質の名前を聞いたことがあるでしょうか。これはもともとマレーシアの伝承薬で、昔から滋養強壮、体力向上、催淫効果など主に男性の性機能を高めることで知られています。

マレーシアだけでなくベトナム、タイ、インドネシア、フィリピン等の地域では、マラリアや腫瘍、疲労、不安神経症など、幅広い民間医療に使われてきたという歴史があります。

簡単に生物学的な紹介をします。トンカットアリは名前にアリという文字が入っているので昆虫の蟻だと思う人がいますが、実は植物です。英語でTONKGAT Ali（トンカット・アリ）。学名EURYCOMA LONGIFOLIA JACK、和名をナガエカサといいます。

薬用として使用されるのはトンカットアリの根っこです。木のどの部分にも強い苦味があり、いかにも〝良薬は口に苦し〟を体現しています。

トンカットアリという不思議な名前は、「古代イスラムの戦士アリ（Ａｌｉ）を支える杖」という意味。勝手に日本語訳すると「戦士を支える杖」でしょうか。確証はありませんが、有名なボクサーであるモハメド・アリも確かイスラム教徒でした。

最近は男性だけでなく女性の性的能力も高めることがわかり、科学的な研究分析や動物、ヒトに対する試験も多く行われるようになったようです。

男性ホルモンの回復が様々な不調を改善する

生薬としてのトンカットアリは、朝鮮人参や田七人参と同じ薬用人参の一種です。薬用人参には共通してジンセノサイドと呼ばれるサポニンが豊富ですが、その種類は膨大であり、効能も多岐にわたります。

トンカットアリには多種多様な生理活性物質が含まれており、代表的なものはサポニンの一種・グリコサポニン、多糖類のポリサッカライドなどですが、特に注目したいのがＤＨＥＡ（性ホルモン前駆物質）の産生を促すユーリペプチドです。この成分はヒト（男性）に対する臨床試験で、男性ホルモンの分泌増大とＬＯＨ症候群の改善が認められています（この研究報告は後述します）。

効能は、現地の説では性機能の向上のほかにも疲労回復、免疫力の向上、血液循環の向上、抗腫瘍効果、炎症抑制、抗マラリア、腰痛などの疼痛の緩和などきわめて多彩です。やたらと何にでも効くのは少々あやしいと思われますが、これが男性ホルモンの回復によるものと考えれば納得がいくのではないでしょうか。

本書の第3章で述べた男性更年期障害は、まさに全身の様々な不調のおおもとになっていました。男性ホルモンの増加によって多くの症状が回復し元気になるのは、男性ホルモンにそれだけたくさんの働きがあることの証明でもあります。

自国産の薬用植物の価値に注目したマレーシア政府は、２０００年、マサチューセッツ工科大学（ＭＩＴ）と提携し、トンカットアリの研究を開始。臨床試験を基に、２００６年米国特許、２００７年ＥＵ特許を取得しています。マレーシアにとってこの植物は、重要な輸出商品になっているようです。

ＤＨＥＡ（デヒドロエピアンドロステロン）の産生を促進するユーリペプチド

トンカットアリについて本書が最も注目するのは、ユーリペプチド（アミノ酸の複合体）と言われる生理活性物質です。この物質はＣＹＰ17という酵素を活性化し、体内のデヒドロエピアンドロステロン（以下ＤＨＥＡ）の産生を促すのです。プロゲステロン、アンドロステジオン等に対しても同様の働きを持っています。これらの舌を噛みそうな物質は、みな性ホルモンの仲間です。

ＤＨＥＡはホルモン前駆物質（ホルモンになる物質）として徐々に知名度が上がって来ているので、ご存じの方も多いでしょう。既に欧米ではサプリメントとして大人気です。ホルモン前駆物質というのは面白いことに、男性ホルモンにも女性ホルモンにも変わります。ＤＨＥＡも男性ホルモン（テストステロン）だけでなく、女性ホルモン（エストロゲンやプロゲステロン）などの素になるため、通称「マザーホルモン」等とも呼ばれている物質です。

他にもＤＨＥＡそのものに高い抗酸化作用があることから、紫外線から肌を守り、皮膚の細胞の再生を促すなど美肌効果、美容効果が期待されています。

性機能を高めて体調を整え、アンチエイジング効果もあるのですから、現代人にとって夢のような存在です。途切れることなく分泌され、いつまでも我々の若さや健康、そしてセックスを楽しめる能力を維持してほしいものです。

加齢と共に減少するＤＨＥＡをユーリペプチドが補う

ＤＨＥＡの働きを簡単に整理すると、まず男性ホルモン等の性ホルモンの材料になること。そして女性ホルモンにも変わります。

抗酸化作用としては、脂質の分解を促進し、血管の悪玉コレステロールを分解して動脈硬化を防ぐ（ひいては脳血管障害や心疾患障害など命に関わる病気を予防）。同様に血管や血液の酸化を防いで脂質異常症や糖尿病を予防改善。また免疫細胞を強化して免疫力を向上させるなど八面六臂の働きをしていると考えられます。

しかしそんなＤＨＥＡも、残念ながら加齢と共に減少してきます。性ホルモンの低下の陰には、そのおおもとであるＤＨＥＡがあるわけですから。女性は20代から、男性は40代から減少していくと考えられています。

すると男性の場合、必然的に男性ホルモン生成も減少し、男性更年期障害、ＬＯＨ症候群が発生すると考えられるわけです。

そこでトンカットアリの成分ユーリペプチドがものをいいます。この物質がＤＨＥ

Ａの分泌を促すことで減少していた男性ホルモンも上向きになり、男性更年期障害、ＬＯＨ症候群の改善につながると考えられるのです。

90％以上のＬＯＨ症候群患者が男性ホルモン正常値に（臨床試験による男性ホルモン増加を確認）

トンカットアリの働きの中で、最も注目されているのはやはり男性ホルモンの増加です。

まずここではトンカットアリが、男性の男性ホルモンを増加させるかどうかという基本的な臨床試験（２０１１年）をご紹介します。

まずマレーシアでＬＯＨ症候群の患者76人（マレー系64人、インド系９人、中国系３人）を対象に、トンカットアリの水溶性エキス１日２００㎎を４週間にわたって投与し、男性ホルモン値の変化を調べた臨床試験です。

投与前の患者の男性ホルモン濃度の平均値は5・99 nmol/l以下。正常値は6・00〜30・0nmol/lなので正常値より少々低い値です。

4週間後、患者の男性ホルモン濃度は高まり、平均値は正常の範囲内になりました。正常になったのは76人中69人。比率は90％を超え、ほとんどの患者が正常値になったことがわかります。

70％以上の患者のLOH症候群の自覚症状が消失

同じ臨床試験で、参加した患者76人のLOH症候群の自覚症状がどのように変わったかがAMSスコアで調べられました。

これは第1章でも紹介したように、患者さんが心身にどのような症状を抱えているかを知るための調査票です。男性ホルモン値と逆で、低下していれば改善を意味します。

トンカットアリエキスを投与して4週間後、参加者76人のうち、投与前は43名（56・

8％）が「中程度から重度」の不調を感じていました。投与後は76人のうち54人が「不調がなくなった」としており、70・3％が全面的に回復していることがわかります。

出典 Tambi MI, Imran MK, Henkel RR (2011). Standardised water-soluble extract of Eurycoma longifolia (Tongkat ali), as testosterone

骨粗鬆症予防、疲労回復、血糖降下作用などを確認

ここでは詳しい研究結果を省略しますが、トンカットアリの働きには、他にも次のようなものがあります。

男性更年期障害、LOH症候群では、男性ホルモン減少によって骨量の減少、骨粗鬆症の発症が起こることがあります。トンカットアリは、骨カルシウム喪失防止、骨芽細胞の増殖等を促し、骨粗鬆症の予防や進行を抑止する可能性が示唆されています。

他にもヒトに対するストレス軽減作用、スポーツ選手を対象にした運動負荷試験による疲労回復作用、ラットを使った動物実験で血糖降下作用など様々な働きが確認さ

れています。これらはトンカットアリの持つ男性ホルモン向上作用によるものと考えられます。

またトンカットアリの特長に、血管でＮＯ（一酸化窒素）を発生させ、血管を開き、血流を改善することがあげられます。動脈硬化の予防や改善は、まさにこの働きによると考えられています。

トンカットアリの生産地の研究者たちは、この物質の持つ多彩な効果を解き明かし、男性更年期障害、ＬＯＨ症候群への治療に関して強い自信を持っているようです。それは多種多様の効能だけでなく、医薬品とは異なる副作用のない安全性も含めてのことのようです。

◉ムクナ

Lドーパ（ドーパミンの原材料）を豊富に含む天然の精力剤ムクナ

次にご紹介するのはムクナ。東南〜南アジア原産のマメ科の植物で、古代インドでは太古の昔から食用、医療用として広く用いられてきたという記録があります。インドの伝統医学アーユルベーダでは、ムクナは「催淫剤」「老年向けの強壮剤」であるという記述が残っており、いわゆる精力剤として長い歴史があります。

男性に限らず女性の体調改善にも有効で月経障害、便秘、浮腫、結核などの治療にも幅広く用いられたようです。

ムクナの薬効成分はLドーパ。脳内で働く神経伝達物質ドーパミンの前駆物質です。ドーパミンという名称は今日、よく知られるようになりました。通称快楽ホルモン、やる気ホルモン。気分を高揚させ、意欲や集中力を高め、運動能力アップにも関与する非常にポジティブなホルモンです。

Lドーパは通常フェニルアラニンやチロシン等のアミノ酸から作られます。我々が食事で摂取したタンパク質が体内でいったん分解されてアミノ酸になり、それが脳に運ばれ再合成されてLドーパになり、さらにドーパミンになります。

ドーパミンが減ると我々はやる気がなくなり、仕事も勉強もはかどらなくなります。運動能力も性的能力も下がってしまいます。最悪の場合、パーキンソン病やうつ病、統合失調症といった精神障害につながる可能性が出てきます。

ムクナはドーパミンの前駆物質Lドーパを含んでおり、自然界では大変に珍しい植物とされています。

Lドーパで脳に到達しドーパミンに変化

ドーパミンが不足するのなら、ドーパミンそのものを摂取すればいい。誰もがそう考えるでしょう。ところがドーパミンは、いくら摂取しても脳には届きません。脳内の毛細血管には「血液脳関門」という、まるで関所のような厳しい通過ポイントがあって、ドーパミンはここで「通行不可」になってしまうのです。

どんなに素晴らしい薬効成分でも、ここを通過できないために力を発揮できないものが他にもたくさんあるようです。

ところがドーパミンの前駆物質のＬドーパは、ここを難なく通り抜けられます。血液脳関門を通過して脳に到達し、ドーパミンに変わるのです。

ちなみに医薬品にもＬドーパ剤があるのですが、これはパーキンソン病の特効薬です。

そんな特効薬の成分が含まれたムクナですが、この豆が採れるインドなどでは普通の食用豆でもあるのが面白いところです。

ムクナに含まれるＬドーパの量は全体量の５％くらい。ほかはタンパク質やミネラルなど。何千年も日常的に食べられてきたものなので、ちゃんと加熱すれば食べられます。ただ食用にするには非常に硬く、残念ながらあまりおいしくはありません。

ムクナには天然のＬドーパだけでなく、さらにその材料となるフェニルアラニンやチロシンなどのアミノ酸も豊富に含まれています。つまり脳内で直接Ｌドーパを補給できるだけでなく、脳内で合成するための材料も揃っていることになります。

男性不妊症改善効果に関する臨床試験

ムクナは、インドでは古くからが男性不妊症の改善に役立つとされています。その有効性について行った臨床試験を紹介します。

《研究機関》チャトラパティ・シャフジ・マハラジ大学の医科　産科、産婦人科、生化学科、泌尿器科、中央薬物研究所の内分泌科
《実施期間》２００5年1月～２００7年1月
《被験者》25～40歳の男性不妊症患者１５０人。対照群は患者集団と同じような年齢構成の健康な男性75人。
《臨床試験の経緯》男性不妊症患者全員にムクナ粉末を1日1回5g、3か月間投与。

結果は次の通り。

①25人の乏精子症（精子濃度が低い）患者。ムクナ投与3か月で精子濃度は676％増加し、正常な男性と同等レベルに改善した。

②ムクナ投与後の精子の運動性の変化では、25人の精子無力症（精子が動かない）患者。3か月投与で141％の運動量増加が見られた。

③ムクナ投与後の男性ホルモン濃度の変化を調べると、3か月後、139％増加し、正常な男性と同等レベルに改善した。

④ムクナ投与後のドーパミン濃度の変化を調べた。投与して3か月後、ドーパミンは171％増加し、正常男性と同等レベルまで改善した。

以上のように全ての項目において改善が示され、ムクナは男性不妊症の治療に有効であることが示されました。そのメカニズムについて研究者たちは、次のように結論づけています。

男性不妊症の背景には、精子の形成障害や性欲低下をもたらすプロラクチンというホルモン分泌の上昇があります。このホルモンは本来ドーパミンによって抑制されており、何らかの原因でドーパミンの量が少ないと上昇します。

ムクナにはドーパミンの分泌を増やし、プロラクチンの分泌を抑える働きがあるため、精子の形成や性欲が改善すると考えられます。

またドーパミン分泌が改善すると脳下垂体が活性化し、性腺刺激ホルモンの分泌が増加し、精巣からの男性ホルモン産生が盛んになったとも考えられます。

◉アメリカ人参

強力な抗酸化作用でストレスを解消するアメリカ人参

男性更年期障害に有効な第3の植物性成分はアメリカ人参です。

朝鮮人参や田七人参は知っていても、アメリカ人参は知らないという人が多いと思います。アメリカ人参は北アメリカ産、やはり様々な薬理作用を持っています。多くの伝承薬がそうであるように、この素材も北米原住民が頭痛や発熱、風邪、ストレスなど様々な病気や体調不良の改善に使ってきた歴史があります。

アメリカ人参は漢方でいう「涼」という性質を持ち、鎮痛、解熱、鎮静など興奮や熱を抑える働きがあります。ストレスの多い現代人には、疲労回復や心身を癒す「涼」のアメリカ人参が最適です。

前述のムクナやトンカットアリが男性ホルモン分泌を促し、男性更年期障害の本質的な部分に作用するとしたら、アメリカ人参のほてりやのぼせ、大汗、動悸といった症状をすみやかに治める働きは「涼」の性質が適しています。

◉ガラナ

天然カフェインの覚醒作用と滋養強壮作用を持つガラナ

かつて日本でもガラナが清涼飲料水として飲まれていた時期がありました。ちょうどコカコーラのような感じで、北海道や関西、九州にもあったようです。今日ブラジル原産の果物であるガラナは、一種の精力剤、滋養強壮剤であり、エナジードリンクにも含まれています。

有効成分はガラニンというカフェインの一種。覚醒作用があり集中力を高める働きがあります。またカフェインは交感神経を刺激するので、心拍数を上げ、血液循環をよくし、一時的に筋肉の働きを高める働きがあります。他にもカテキン、コリン、サポニン、キサンチンなどの植物性の薬理成分が豊富です。

◉セレン

男性にとって重要な必須微量元素セレン

必要量はごく僅かですが、欠乏すると生命維持や生殖に影響するのが必須微量元素です。人間にとって必要な必須微量元素にセレン（セレニウム）があります。

セレンは亜鉛やビタミンＥ　とともに、体の抗酸化作用に重要な役割を果たしています。中でも体内の活性酸素を積極的に除去します。

またセレンは、精巣の発達を促し、男性ホルモンの分泌を高め、精子の形成、運動性などに関与しています。

◉亜鉛

不足すると男性更年期障害、ＬＯＨ症候群を悪化させる必須微量元素・亜鉛

亜鉛は前立腺と精液に多く、不足すると精子の産生量、運動能に影響します。また男性ホルモンの合成にも関わっていて、不足すると性欲や性機能が低下してしまいます。アメリカでは亜鉛をセックスミネラルと呼び、男性は最も意識する栄養素です。

他にも亜鉛は細胞分裂や新陳代謝、組織の損傷の修復、免疫機能など様々な生命活動に関わっています。ごく微量（全身で約２g）であっても、なくてはならない必須元素です。

ここまでご紹介した植物由来のホルモン様成分トンカットアリ、ムクナ、アメリカ人参、ガラナ、セレンなどのサプリメント（以下トンカットアリのサプリメント）は、既に多くの人に使われ、喜ばれています。複数の医療機関でも採用され、パートナーとのセックスレスが解消したという報告がたくさん寄せられているとのことです。

ここで実際に治療にトンカットアリのサプリメントを使い、多くのシニア男性をセックスレスの悩みから解放してきた医師の田中優子博士に、患者さんのお話を伺いました。

田中博士は美魔女ドクターとして知られ、多くのメディアで情報を発信し活躍されています。そのテーマは「美容は最高の予防医学」です。

トンカットアリのサプリメントで若さと幸せとセックスを取り戻した男性達

～美魔女ドクター田中優子博士の男性外来から～

――男性更年期障害の治療法といえば男性ホルモン補充療法がありますが、田中先生は他にもいくつか選択肢を用意して治療されているそうですね。

田中　私が院長をしている田中病院にはいくつか科がありまして、男性外来もその1つです。そこではもちろん男性ホルモン補充療法を行っております。

ただ治療法については、必ず患者さんのご希望を聞いて、納得がいく治療法を選んでいただいています。患者さんの中にはホルモン補充療法よりはサプリメントがいいという方もおられます。他にも漢方薬やビタミン注射、プラセンタなどいくつか選択肢を用意しています。

明らかに男性ホルモン値が下がっている人、男性更年期障害と思われる人にはやはりホルモン補充療法が第一選択になります。ビタミン注射などでは、ある程度症状を取ることはできても、心身全てに満足のいく結果はなかなか出ないんですね。ところがトンカットアリのサプリメントはかなりよい結果が出ています。

――実際に使った方の例を教えてください。

症例1　79歳、頭がクリアになって活動的になった。セックスも可能に

田中　まず79歳の男性です。3年ほど前におひとりで来院されて、開口一番「頭が腐ってしまったんだ」とおっしゃる。もちろん冗談で、お話を伺うとてもおしゃれで知的な紳士でした。ようするに年のせいで、記憶力が悪くなった、物覚えも悪くなった、

なんとかしてほしい、というんですね。ビタミン注射を希望されたんですが、加えてトンカットアリのサプリメントを飲んでいただいたところ、とても元気になられました。3年ほど続けたんですが、ご本人も「頭がクリアになって記憶力もすごくよくなった」と喜んでおられます。最近では、ご自分より10も20も若い人たちに誘われるようになって、地域の活動に参加しているそうです。パソコンも始めたそうで、79歳とは思えないほど若々しくなられました。

セックスの方はどうですかとお聞きしたら、かなりその気になっていて、できそうだとおっしゃる。できる状態だとおっしゃる。ただ70代の奥様が難色を示していて…、ということでした。

女性はセックスのブランクが長いと膣萎縮が起きて、確かにちょっとセックスが難しくなるんですが、治療すれば大丈夫です。ぜひ復活して、お二人でもう一度愛を確かめ合ってほしいと思います。

――ご夫婦やカップルで受診される方もおられますか。

田中　私の専門は皮膚科なので、美容関係を含めて女性の患者さんがたくさんいらっしゃいます。50歳前後の更年期の方も多いんです。そうした方との話の中で、実はウチの夫が調子が悪くて、更年期かしら、という相談になるんです。それならご主人も一緒にどうぞという感じで男性の診療をすることが多いです。

症例2　カップルでセックスレスを解消。女性の性交痛も治療で改善

田中　奥様の紹介で来院された62歳の男性ですが、とにかく無気力で落ち込んでいて、数年前に会社も早期退職してしまったそうです。イライラして家族に当たり散らしてしまうが自分で感情をコントロールできない。ホルモン値を検査したところ、低いとはいえギリギリ基準値内。ホルモン値というのは変動するので、あまりあてにはならないんですね。

そこでトンカットアリのサプリメントを勧めたところ真面目に飲んでくれて、すっかり元気になられました。性欲も復活してセックスもできる状態になられました。ところが奥様の方が、ブランクが長いせいで痛くてできないと言う。せっかくご主人がセックスできるようになったのに、「私（奥様）ができなくて可哀想だ」って泣いてしまわれたんです。

そこで奥様の方には膣萎縮を改善するレーザー治療を受けていただいて、すっかりよくなりました。そうして二人めでたく結ばれたというれしいご報告をいただきました。素敵でしょう。奥様は結婚当初の夫に戻ってくれたと喜んでみえます。そんなお二人を見て、私もうれしくて感動してしまいました。

——男性更年期なのにうつ病と診断される男性が多いようですが、いかがでしょう。

症例3 うつ病ではなく男性更年期障害。トンカットアリのサプリメントで体調不良が回復しセックスも復活

田中 奥様に連れられてきた50代の男性で、みるからに〝うつ状態〟という方がおられました。仕事も休みがちで、奥さんも困っていたようです。精神科ではうつ病と診断され、抗うつ剤を処方されていましたが、一向によくならない。そんな時男性がテレビで男性更年期の話を聞いて内科を受診し「男性更年期じゃないか」と相談したら「男に更年期なんかないよ」と一蹴されたそうです。今どき、まだそんな認識の医者がいるとはびっくりしました。

その後私のところにいらっしゃったので、男性ホルモン値を検査したところ明らかに低い。ズバリ男性更年期障害です。そこでホルモン補充療法をお勧めしたんですが、どういうわけかそれは嫌だとおっしゃる。理由は言わないんです。とにかく嫌だと。

そこで、トンカットアリのサプリメントはどうかと聞いたところ、やってみると。それ以外に継続的な運動と筋肉を作る食事。サプリメント＋運動＋食事というメニューをお勧めしました。

これを続けていたらだんだん元気になってきて、ホルモン値も上がってきた。意欲も出てきて、ご本人も「すごく楽になった」と喜んでくださいました。そしてセックスもできるようになったとご報告をいただきました。本当によかったと思っています。

——ホルモン補充療法を拒否する患者さんは、どんな心配をしているのでしょうか。

田中　男性ホルモン補充療法の副作用としては精子の減少があるので、お子さんを希望する方には基本的にはお勧めできません。しかしその予定がない方は、あまり心配する必要はないのです。あとは男性ホルモンに関する間違った説が信じられている場合もあります。

症例4　テストステロンに不安。トンカットアリのサプリメントでギンギンに

田中　73歳の男性で、はじめ薄毛治療のために受診していて、実はEDの心配があるという方がおられた。そこで男性ホルモン補充療法を勧めたところ、それは絶対ダメだと言う。なぜかというと男性ホルモン＝テストステロンは薄毛の原因だからと言う

んです。

これは誤解している人が多いのですが、テストステロンが体内の酵素によってジヒドロステロンという物質に変わると育毛サイクルをダメにしてしまうのであって、テストステロンそのものが原因なのではありません。仮に男性ホルモン＝テストステロンが導入されても、まず問題はないのです。

ただ治療全体に不安や不信があると、その治療方法を勧めることはできません。そこでこの男性にトンカットアリのサプリメントを勧めたところ、これが大変マッチしたようで、本人いわくギンギンになったそうです。ギンギンですから（笑）。本当に効いたんですね。薄毛治療はレーザーなどでやっているので体には特に影響がなく、両方とても満足しておられます。

——田中先生はサプリメントに対してどのようにお考えですか。

田中　私が診療で使っているサプリメントはトンカットアリのサプリメント1種類だ

けです。サプリメントってたくさんありますよね。男性の性機能を高めるとうたったものも山ほどある。でも私はトンカットアリのサプリメントが一番効果的だと思います。

ある時、とても信頼している泌尿器科のドクターが、「私は個人的にこれを飲んでいるんです」と教えてくれたのがトンカットアリのサプリメントでした。このドクターが自分のために使っているならひょっとして、と思って取り寄せて、その成分を詳しく見てみたら、これはよさそうだと思ったのが始まりです。実際に使っていただいたところ、ここでご紹介したように大変喜んでいただける結果になっています。

やはり成分がきちんとわかって、品質も納得できて、そして自分が信頼している人が使っている。そういうことを総合して、サプリメントの中にもよいものがあると思っています。

ホルモン補充療法がどうしてもいやだという方はおられます。また持病や色々な事情があって使いたくない方もいる。そういう方には、医薬品以外の選択肢としてサプリメントはありだと思っています。

田中優子 医師 プロフィール

1952年生まれ　名古屋市出身　愛知医科大学卒業
名古屋大学皮膚科学教室　名古屋第一赤十字病院赴任
結婚のため三重県に移住し現在は療養型病床田中病院
専門　皮膚科・泌尿器科
著書『女医が教える老化を止める美肌術』
『親が倒れたどうする！』

植物成分の女性ホルモン様物質が持つ力

女性ホルモン様物質とは何か

第4章で述べた通り、女性ホルモンは女性の健康にとってきわめて重要な働きをしています。その働きは、女性ホルモンが急激に減少する更年期になって初めて実感すると言っても過言ではないでしょう。

ホルモン補充療法（HRT）や漢方など、更年期の不快感や抑うつ、めまいや関節痛などの症状を乗り越える手段はいくつもあります。しかし日本ではまだ、誰もがホルモン補充療法をするというほど一般的ではありません。

そうした治療法になじみがない、あるいは薬にはなるべく頼りたくない、薬の力を借りてもいいけれど、並行して日常生活の中での対策も考えたいという人には、植物由来の女性ホルモンのサプリメントもありだと思います。

最近は、野菜、豆類など様々な植物に、女性ホルモンと似た構造を持ったものがあることがわかってきました。女性ホルモンに似た構造＝女性ホルモン様物質として、知名度が高まってきました。それらは、人間の臓器のホルモン受容体（レセプター）と結合し、女性ホルモンと同様の働きをしてくれるのです。

女性ホルモン様物質で最もよく知られているのは、大豆製品に含まれているイソフラボンでしょう。イソフラボンは単体で働くというより、体内にある女性ホルモンとうまくバランスを取って働くと考えられています。ここが面白いところで、体内の女性ホルモン濃度が高いときは、弱い女性ホルモン作用をもつイソフラボンはホルモンレセプターに早く結合して抗女性ホルモン作用を示し、反対に、更年期や閉経などによって、体内の女性ホルモン濃度が低くなってくると、イソフラボンがレセプターに結合し、ホルモン補充療法のような働きをします。

そのほか、山芋、アルファルファ、スプラウト、もやし、クズ、ナッツ類、亜麻仁、ひよこ豆なども女性ホルモン様物質がごく少量含まれています。

プエラリア・ミリフィカとは何か

女性ホルモン様物質を含む植物の中でも、最も含有量が多いことで知られるのがタイ原産のプエラリア・ミリフィカです。

聞き慣れない名前の植物ですが、原産地はタイとミャンマーの国境付近の原生林。亜熱帯の落葉樹林に自生するマメ科植物です。この豆についてはタイの古文書に、女性の若さと美しさを保つという記載があったことから、一躍女性用の薬用植物としての注目が集まりました。ウィキペディアには「1960年、イギリスの学術雑誌『Nature』においてプエラリア・ミリフィカには「プエラリン」という美乳効果をもつ成分（大豆イソフラボンにはほとんどない）が多く含まれるとの趣旨が発表されたことも、大きな理由の1つと思われる」とあります。

その後日本でも、プエラリア・ミリフィカ含有のバストアップ効果をうたったサプリメントやジェル、あるいは女性用サプリメントが販売されるようになりました。

イソフラボンを始め17種類の植物性女性ホルモンを含有

最近の研究では、プエラリア・ミリフィカには、イソフラボンを始め17種類の植物性女性ホルモンが含まれていることがわかってきました。(Premarket Notification for Puerania candollei var.mirifica root extract as a New Dietary Ingredient FDA 発表資料 2003)

そのため、更年期障害など女性ホルモン欠乏による体調不良を改善できるのではないかという期待が高まっています。

プエラリア・ミリフィカに含まれる成分は、まず植物ステロール、イソフラボン、クメスタンという3種類の化合物に分類されます。

植物ステロールはミロエストロール、デオキシミロエストロール、イソミロエストロールなど。これらはこの植物の薬理作用の中心であり、高い女性ホルモン様作用を持っています。これらは他の植物にはないプエラリア・ミリフィカ特有の成分です。

女性ホルモン様物質は、大豆などマメ科の植物に多いことは確かです。ただしアルファルファや大豆、クズにしても、含まれているのは単純なイソフラボンだけ。複数のホルモンが含まれているプエラリア・ミリフィカは、やはりかなり特殊な植物だと言えるでしょう。

さて代表的な植物性女性ホルモンといえば、ご存じの通りイソフラボンです。特に大豆のイソフラボンは、構造が女性ホルモンのエストラジオール（エストロゲン）にとても似ています。これが体内にある女性ホルモンのレセプター（受容体）と結合して、女性ホルモンの代替物のような働きをします。

ただし植物性女性ホルモン（女性ホルモン様物質）は、人間の女性ホルモンであるエストロゲンに比べればかなりマイルドです。しかも過剰に働くことはなく、むしろエストロゲンとバランスを取るので、時として抗女性ホルモン作用を持つと考えられています。

プエラリア・ミリフィカはその植物性女性ホルモンを豊富に含んでいます。そのため女性の更年期障害の症状を緩和し、それに付随する心身の様々な不調を整える働きが期待されています。

膣の乾燥、性交痛にも改善効果

タイの研究者Luang Anusan Sunthornの報告によれば、プラリア・ミリフィカには万能といっていい様々な薬理作用があるようです。例えば疲労回復、食欲増進、不眠の改善、筋肉増強、記憶力や思考力の維持など認知症の予防、視力回復、さらには育毛剤的な働きもあるとされています。

その中で今日、科学的な検証実験が行われ、期待されているのは次の4つです。

1、更年期障害の諸症状の緩和
2、骨粗鬆症の予防
3、アンチエイジング
4、バストアップ

まず更年期障害の諸症状を和らげる効果に対しては、タイ国ハートヤイ病院で行われた臨床試験（2007）があります。

被験者は更年期症状を持つ現地の女性30名（40～56歳）で、6か月にわたって、プエラリア・ミリフィカの粉末を1日当たり50mg摂取してもらいました。グラフを見るとわかる通り、結果、ほぼ全員の更年期症状が緩和されたことがわかります。

ホットフラッシュ、寝汗、疲労感、頻尿など一般的な症状はもちろん、本書のテーマであるセクシュアルな問題「膣の乾燥、性の不満足、性の興味消失、性交痛」に関しても、明らかに改善が見られています。

これはプエラリア・ミリフィカが、セックスレス解消に関しても有用であることを示していると言えるでしょう。

他にも「骨粗鬆症の予防」に関して、タイのチュラロンコン大学と京都大学が共同でラットを使った実験を行い、プエラリア・ミリフィカには骨密度の維持を助ける作用があることがわかりました。この実験は男性を想定して行われており、プエラリア・ミリフィカには男性に対しても骨粗鬆症の予防効果が期待できることがわかりました。

更年期症状のすべての項目において大きく症状が緩和された

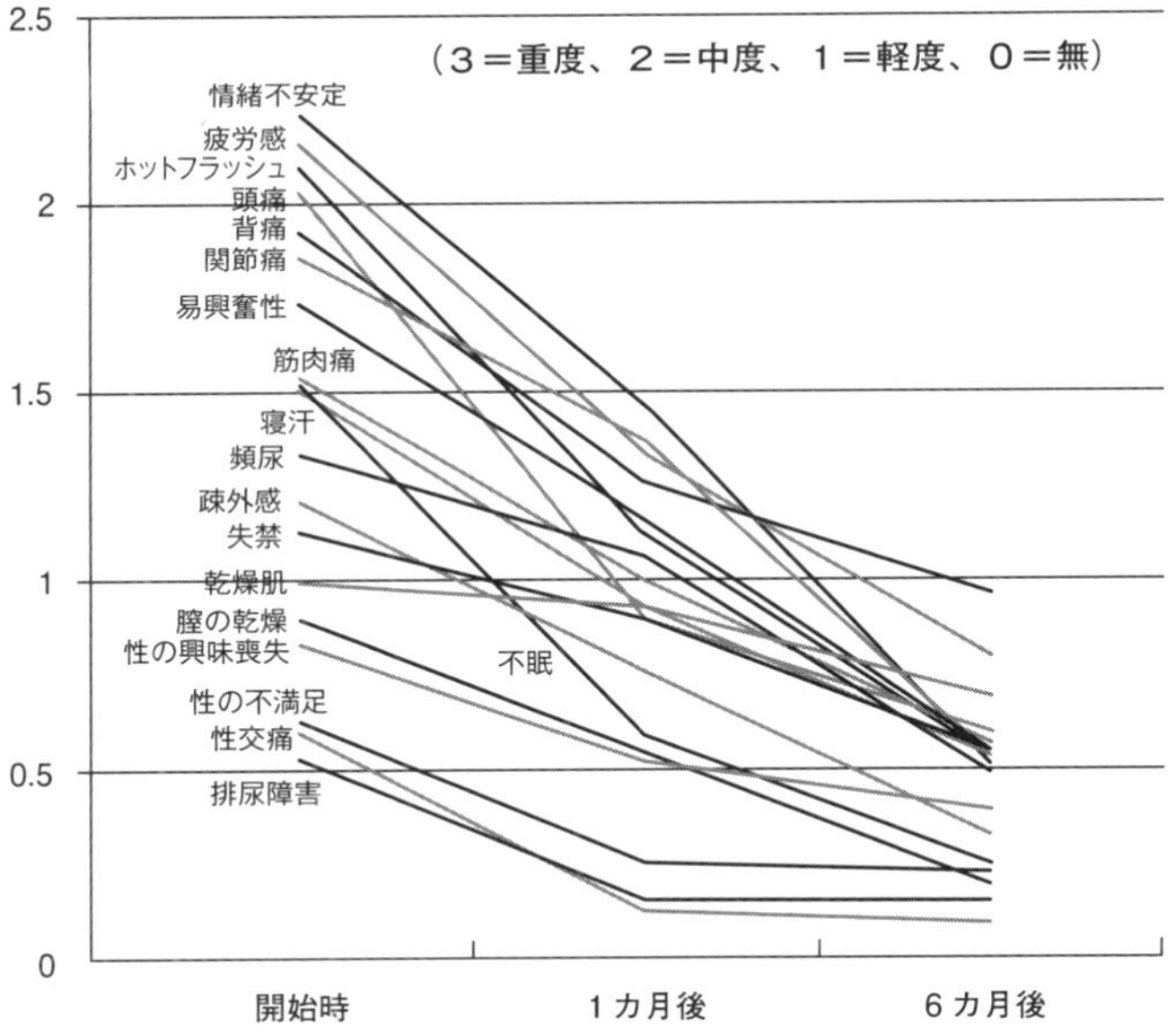

Chandeying V, Lamlertkittikul S: Challenges in the conduct of Thai herbal scientific study: efficacy and safety of phytoestrogen, Pueraria mirifica(Kwao Keur kao), J Med Assoc Thai, 90(7), 1274-1280(2007)

更年期症状の緩和に対する有効性

●実施期間：2005年3月～2006年9月

●対象：タイ国ハートヤイ病院内
更年期特有の症状を持った患者30名(女性40～56歳)

●試験方法：
1日あたり50mgのプエラリア・ミリフィカを摂取

●評価方法：
下記で症状に段階を付け、開始時、1カ月後、6カ月後の症状をはかる。
(3=重度、2=中度、1=軽度、0-無)

飲みすぎ注意！ 女性ホルモンが充分な人には不要

プエラリア・ミリフィカの摂取に関しては1つ注意が必要です。それはこの物質が強力な女性ホルモン作用を持っていることから、摂りすぎには注意してほしいということです。

これまでもプラリア・ミリフィカの摂取量の研究は行われてきており、誰にでも、どんなにたくさん摂取してもよい、というわけにはいかないことがわかってきました。女性ホルモンに限らず、ヒトの体内で起こっているホルモン分泌は常に適正量がコントロールされています。必要量を超えれば有害な場合もあります。従って体内で充分な女性ホルモンが分泌されている人には、それ以上は必要ないのです。

日本ではこの物質がバストアップを促す、おっぱいが大きくなるとしてブームになったことがあります。しかし充分に女性ホルモンのある若い女性が大量に摂取した場合、ホルモンバランスがくずれ、月経の出血のような症状が起きることがあるのです。

ですのでプラリア・ミリフィカは、女性ホルモン値が低下している40代以降の女性にふさわしいと言えます。閉経した女性で、ホルモン補充療法が適当という人であれば問題ないでしょう。

こうしたことからプラリア・ミリフィカの適量は、女性ホルモンが低下している女性で1日50mgが目安です。サプリメントとして摂取する場合も、きちんと用法用量を守っていただきたいと思います。薬ではなく栄養成分であっても、摂り過ぎることにメリットはありません。

ストレスに勝つ強力なアダプトゲン・マカ

精力剤、強壮剤として様々なドリンク剤に入っているマカ。誰もが植物性ホルモン、ホルモン様物質の一種だと思っているのではないでしょうか。例えば性欲を高めたり、EDを改善したり、性感を高めたりする物質だと思っています。

ところが成分を調べてみると、マカには女性ホルモン様物質はありません。男性ホルモン様物質もありません。成分から言えば性ホルモン的な働きは持っていないのです。これほど流通し、知名度が高いにもかかわらず、マカは今1つ正体がわからない薬用植物なのです。

ではマカの薬理作用とは一体何なのかといえば、アダプトゲンのような作用ということができそうです。

聞き慣れない言葉ですが、アダプトゲンとは、簡単に言えば、「ストレスへの抵抗力を高めるハーブ」ということになります。かつてロシアの科学者が考えた健康に関する概念で、心身の疲労や不調などのストレスに抵抗し、体調を整える働きがあるものです。ストレスによって機能が亢進した場合、たとえばホルモンが出過ぎたらこれを抑え、不足したらこれを上げる。過剰を抑え不足を補う。恒常性やバランスを保つ働きです。

漢方薬で言えば朝鮮人参や霊芝、冬虫夏草がそれに当たり、万能薬的な作用ということができそうです。

そのため原産国のペルーでは、マカは性ホルモン的な扱いではなく、赤ちゃんから老人まで、あらゆる年代の体調不良を改善するハーブと考えられています。

アンデスの薬用ハーブから「天然のバイアグラ」へ？

さてマカは、どんな植物なのでしょう。分類ではアブラナ科の多年生植物です。南米ペルー、アンデス山脈の標高三〇〇〇～四五〇〇mという高地が原産。現在では中央アンデスの高地エリアで栽培されていますが、平均気温５℃、強烈な紫外線、寒波や強風にさらされる過酷な自然環境下で栽培されています。

球根野菜で形はカブそっくり。色は黄色や紫など色々です。インカ帝国の頃は貴重な栄養源であり、薬用ハーブだったと考えられています。今でも現地では主要な栄養源です。

性ホルモン的な成分がないにもかかわらず男性向けのサプリメントに配合されているのは、マカがアメリカに渡った当時、スタミナや筋肉増強を求めるアメリカのフィットネス界で注目されたことがきっかけではないかと言われています。そのため「天然のバイアグラ」というイメージが定着しているようです。

更年期障害や疲労回復に有効

マカにはグルコシノレートやステロール、アルカロイド、ポリフェノール、サポニンなど多彩な生理活性成分が含まれています。これらの中で、女性の性ホルモンに近い働きをしているのはグルコシノレートの一種ベンジルグルコシネートと考えられています。この物質は女性の妊娠を促し、月経サイクルの正常化や更年期障害の改善に有用だと考えられています。

これまで発表されている研究報告では、鈴鹿医療科学大学大学院保健衛生学研究科の研究において、更年期障害に対し行われるホルモン補充療法の1つとしてマカには有用性が十分期待できる、という報告があります(「医学と生物学」第145巻・第2号・2002年8月10日)。

またマウスを使った遊泳運動実験の結果、マカ抽出物には持久力向上・抗疲労作用を有することが示唆されました（日本農芸化学会・２００５年）。さらに同学会の研究で、マカ抽出物には抗肥満作用を有することが示唆されています。

一般にマカは男性の性ホルモンを補うものと考えられていますが、実際は男性だけでなく女性にも充分有用です。マカを摂取したからといって髭が生えたり、男っぽくなったりすることはないので、その点は心配ありません。

＊

植物由来のホルモン様成分プエラリア・ミリフィカ、マカなどのサプリメント（以下プエラリア・ミリフィカのサプリメント）は、既にたくさんの女性に使われています。ここで、実際にこのサプリメントでセックスレスの悩みや更年期症状から解放されたという女性のお話をご紹介します。治療に当たった医師の対馬ルリ子博士に伺いました。

プラリア・ミリフィカのサプリメントで更年期症状がスッキリ。セックスも良好に。

～更年期女性の悩みをその人に合った治療で解消～

――女性を対象とした医療というと産婦人科をイメージしますが、対馬先生のクリニックには産婦人科の他にも泌尿器科や皮膚科、内科、心理カウンセリング、他にも中医学・東洋医学など様々な診療を行うドクターや専門家がおられますね。

対馬　栄養学、美容などもありますし、女性の心身の健康全般をサポートする医療体制をとっております。臓器や診療科でバラバラに診るのではなく、一人の人間の心と体の両面から健康状態を診る。さらに女性専門の医療を、その人のあらゆるライフステージで支えていきたいというポリシーで診療に当たっています。

――治療には漢方薬やサプリメントも使っておられるそうですが、プエラリア・ミリフィカのサプリメントはどのような女性にお勧めですか。

対馬 主に更年期の女性ですね。女性のライフステージにおいて、更年期というのは大きなターニングポイントです。この時期、女性ホルモンが急激に減少することで、様々な変化と体調不良が現れます。もちろん更年期障害の医学治療としてホルモン補充療法もありますが、誰にでも使用できるわけではありません。また中には西洋医学の薬は使いたくないという方もおられます。そういう方には漢方薬もありますし、サプリメントもあります。ご本人の希望によってはサプリメントをお勧めすることもあります。

プエラリア・ミリフィカのサプリメントは、更年期の女性にはとても有用な働きをしてくれると思います。

症例1　重い倦怠感がなくなって全身がスッキリした

――具体的に使っておられる方の様子を教えてください。

対馬　まず51歳の女性で、更年期からくる重い倦怠感で悩んでいた方。更年期障害の症状の中では、倦怠感はＱＯＬを下げてしまう大きな問題です。毎日の生活にも仕事にも影響します。

この方は幸い、プエラリア・ミリフィカのサプリメントがとても合っていたようで、飲み始めて間もなく「これはいい」と。しばらく飲んでいたら倦怠感がなくなって、全身がスッキリしたとおっしゃっていました。今はもう飲んでいないのですが、体調は変わらず、維持できているそうです。

症例2　セックスも順調、パートナーとの関係良好に

――セックスに関してはどうでしょうか。

対馬 セックスに関してもよい結果が出ている方がおられます。49歳の女性で、やはり更年期症状が色々と出てきている方です。女性ホルモンが低下していて、既にピルを使っておられました。ただそれだけだと体力の低下や睡眠の面では満足がいかないとのことで、プエラリア・ミリフィカのサプリメントをプラスして飲み始めました。

これが彼女にとってはドンピシャリで、よく眠れる、朝スッキリ目覚める、体力も回復し、肌つやもよくなったと大変満足しておられます。特に海外旅行に行く時は欠かせないとのことです。

セックスに関しても全く不自由していないそうです。パートナーとの関係も良好で、申し分ないとおっしゃっています。

この方は健康状態をご自身でしっかり管理しておられるんですね。薬もサプリメントも上手に選び、組み合わせ、使い分け、常に自身の体調をベストの状態に維持しておられる。我々医師はそのお手伝いをしている感じです。検査や治療では専門的なサポートをしていますが、ご本人が主体的に管理しておられる。現代的ですばらしいと思います。プエラリア・ミリフィカのサプリメントも、成分のプエラリア・ミリフィカと一緒に入っているマカに興味を持ち、期待して選んだとのことです。

症例3　更年期でうまくいかなくなったセックスが回復？

――性交痛によるセックスの問題を抱える方にはいかがでしょう。

対馬　はっきり性交痛とは言い切れませんが、52歳の更年期の方で膣に潤いがなくなり、分泌液が減ってセックスがうまくいかなくなった、という女性がおられました。

膣に潤いがなくなるとセックス時にこすれて痛みが出てきます。これが性交痛で、更年期以降の女性のセックスレスの原因の1つです。

この方は当初、高麗人参などを飲んでおられたそうですが、あまり効果は感じなかったそうです。

ある時、その方が私の講演を聞きにいらして、その話の中でプエラリア・ミリフィカのサプリメントを知ったそうです。取り寄せて飲み始めたところ1か月ほどで改善の兆しが見え、膣の分泌液が出てくるようになったとご報告を受けました。ご報告はお手紙でしたので、それ以上は具体的に聞けませんでしたが、うまくいかなくなったセックスが改善してきたと考えていいと思います。

またこの方は、更年期でイライラする、感情が抑えられない、ひどい言葉を使ってしまったというメンタル面での悩みも大きかったそうです。ご友人にも迷惑をかけてしまったと悩んでおられました。そうした更年期のメンタル面での悩みも、プエラリア・ミリフィカのサプリメントを飲んで改善したと、喜んでおられました。

プエラリア・ミリフィカが、研究している大学構内で栽培されたオーガニックのものであることも安心材料だということ、更年期に苦しむ女性にぜひ勧めたいということも、添えられていました。

サプリメントには色々なものがありますが、実際に使用する人が、中身を充分吟味して、納得して使うことはとても大切だと思いますよ。

対馬《つしま》ルリ子　医師　プロフィール

医療法人社団ウィミンズ・ウェルネス
女性ライフクリニック銀座・新宿理事長
産婦人科医・医学博士
1958年　青森県生まれ
1984年　弘前大学医学部卒業、東京大学医学部産科婦人科教室入局、
1998年　都立墨東病院総合周産期センター産婦人科医長
2001年　女性のための生涯医療センターViVi設立、初代所長
2003年　NPO法人「女性医療ネットワーク」設立。

参考文献

『中高年のための性生活の知恵』日本性科学会セクシュアリティ研究会 著　アチーブメント出版 刊
『セックスレス時代の中高年の性白書』日本性科学会セクシュアリティ研究会 著　harunosora 刊
『シルバーセックス論』田原総一朗 著　宝島社 刊
『はらたいらのジタバタ男の更年期』はらたいら 著　小学館 刊
『夫に死んでほしい妻たち』小林美希 著　朝日新書 刊
『女医が教える老化を止める美肌術』田中優子 著　扶桑社 刊
『大人のセックス』宋美玄 著　講談社 刊
『更年期障害をしっかり乗り超える方法』対馬ルリ子 著　ナショナル出版 刊
『男性更年期・ＥＤをらくらく克服する方法』岡宮裕 著　ナショナル出版 刊
『快体新書』ユウコ 著　平原社 刊
『ムスコのこと』川口友万 著　平原社 刊

日本性科学会推薦　セックス・カウンセリング実施施設

日本性科学会が推薦するセックス・カウンセリングを行う施設を紹介します。
利用に際しては事前に以下の確認をしてください。

●休診日、診察時間　●予約が必要かどうか　●相談料金

※以下は2020年4月の情報です

施設名	担当者	住　所	電話番号
三樹会病院	泌尿器科 佐藤嘉一	北海道札幌市白石区 東札幌2条3-6-10	☎011-824-3131
村口きよ 女性クリニック	婦人科 村口喜代	宮城県仙台市宮城野区 榴岡4-2-3 仙台MTビル2F	☎022-292-0166
セントラル 総合クリニック	婦人科 田中奈美	茨城県牛久市 上柏田4-58-1	☎029-875-3511
あべ メンタルクリニック	精神科 阿部輝夫	千葉県浦安市 猫実4-18-27-6F	☎047-355-5335
国立病院機構 千葉医療センター	婦人科 大川玲子	千葉県千葉市中央区 椿森4-1-2	☎043-251-5311
彩の国みなみの クリニック	精神科・心療内科 塚田 攻	埼玉県さいたま市南区 南浦和2-27-12 アビアント3F	☎048-883-4591
日本性科学会 カウンセリング室	臨床心理士 金子和子・ 渡邊景子	東京都文京区本郷3-2-3 森島ビル4F	☎03-3868-3853
主婦会館 カウンセリング室	臨床心理士 金子和子・ 佐々木掌子	東京都千代田区六番町15 主婦会館4F	☎03-3265-8110
聖隷浜松病院	リプロダクション センター 今井 伸	静岡県浜松市中区 住吉2-12-12	☎053-474-2222
公立那賀病院	婦人科 西 丈則	和歌山県紀の川市 打田1282	☎0736-77-2019
松原徳洲会病院	婦人科 福本由美子	大阪府松原市 天美東7-13-26	☎072-334-3400
岩佐クリニック	泌尿器科 岩佐 厚	大阪府大阪市中央区日本橋 1-3-1 三共日本橋ビル3F	☎06-6213-2841
原三信 泌尿器クリニック	泌尿器科 武井実根雄	福岡県福岡市博多区 下呉服2-13 双和ビル2F	☎092-291-3133

◉ 監修者プロフィール

大川玲子（おおかわ・れいこ）

千葉大学医学部卒（1972年）。
現職：国立病院機構千葉医療センター　産婦人科非常勤医師
　千葉きぼーるクリニック婦人科医師
　日本性科学会 理事長
　NPO法人千葉性暴力被害支援センターちさと 理事長

千葉大学医学部卒業後、同大学医学部産婦人科学教室入局。千葉大助手、千葉市立病院などを経て、2013年千葉医療センター 停年退職。この間、千葉市立病院で開設した性治療外来を、千葉医療センターで継続している。2006年より日本性科学会理事長。2014年より「ちさと」理事長。

著書に『女性のからだと性』（小学館）、『カラダと気持ち・ミドル・シニア版』（三五館）など。

今井 伸（いまい・しん）

島根医科大学卒（1997年）。

聖隷浜松病院リプロダクションセンター長、総合性治療科部長。日本性学会幹事、同会認定セックスセラピスト。

島根大学医学部臨床教授、日本泌尿器科学会指導医、専門医。

日本性機能学会専門医、評議員。

日本生殖医学会生殖医療専門医。性機能障害、男性不妊、男性更年期障害を専門に扱う。

講演会、セミナー等で青少年期から老年期まで、の本当に正しい性知識の普及に務める。

◉ 著者プロフィール

犬山康子

医療ジャーナリスト

1959年生まれ。出版社勤務を経てフリーランスとして活動。

子どものアレルギーをきっかけに健康・医療に興味を持ち、自然療法、東洋医学などの研究、執筆活動を展開中。一児の母。

著書に『頻尿・尿もれを自分で治す方法』（平原社）、『鼻・のどの病気は免疫ビタミンでよくなっていく』（平原社）など。

本書を最後までお読みいただきまして
ありがとうございました。

本書の内容についてご質問などございましたら、
小社編集部までお気軽にご連絡ください。

平原社編集部

TEL:03-6825-8487

シニア世代の愛と性《セックス》

二〇二〇年六月五日　第一版第一刷発行

監　修　大川玲子／今井伸
著　者　犬山康子
発行所　株式会社　平原社
東京都千代田区神田須田町二－八－十九
（〒一〇一－〇〇四一）
電　話　〇三－六八二五－八四八七
ＦＡＸ　〇三－五二九六－九一三四
印刷所　ベクトル印刷株式会社

ISBN978-4-938391-68-3

平原社の既刊本

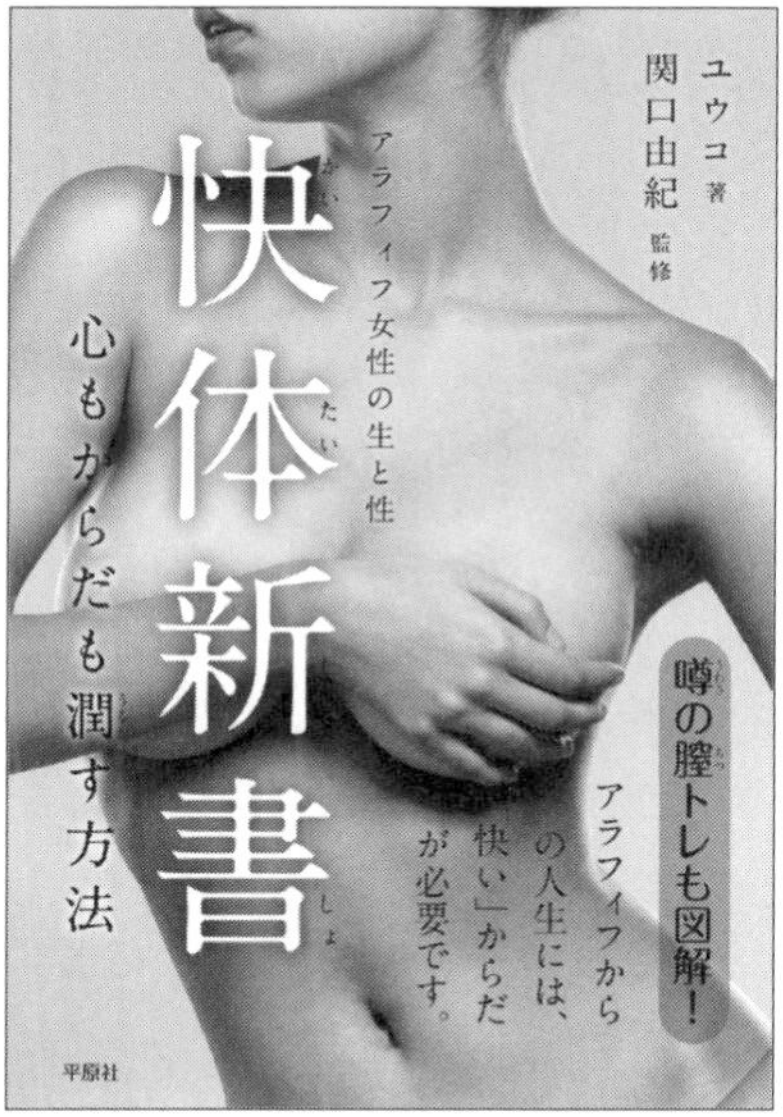

快体新書　心もからだも潤す方法

ユウコ・著
関口由紀・監修

アラフィフからの人生には「快い」からだが必要です。
女性が「女」として生きられる時間が格段に長くなった今、
そのケア次第で人生の充足度は間違いなく変わっていきます。

定価：本体 1200 円＋税
四六判・ソフトカバー・240 頁
ISBN:978-4-938391-62-1